CENT JOURS POUR QUE LA FRANCE RÉUSSISSE

2017-2022

France 2022
sous la direction de Jacques Attali
avec la collaboration d'Angélique Delorme

Cent jours
pour que la France réussisse
2017-2022

Fayard

Couverture : Atelier Didier Thimonier

ISBN : 978-2-213-70074-8

Dépôt légal : avril 2016

Sommaire

Le manifeste :
oser, rassembler, protéger

« Celui qui n'appliquera pas de nouveaux remèdes
doit s'attendre à de nouveaux maux ;
car le temps est le plus grand des innovateurs. »
Francis Bacon

La France est une grande nation, nourrie de son Histoire. Même si elle est aujourd'hui sous le coup d'au moins trois menaces (le chômage, l'intolérance et le terrorisme), même si beaucoup, en France comme ailleurs, semblent résignés à son déclin, elle dispose encore de tous les moyens humains et matériels pour redevenir une grande puissance, économique, politique, culturelle, où il fera durablement bon vivre ensemble, en toute sécurité, et où chacun pourra s'épanouir.

Un pays où les Français pourraient renouer avec l'optimisme, croire que leur avenir peut être bien meilleur que leur passé, se faire confiance les uns aux autres, et partager un projet ambitieux, serein et positif.

Pour y parvenir, ils devront confier au prochain président de la République la mise en œuvre d'**un pacte national de confiance**, par lequel chacun s'engagera à échanger des rentes illusoires contre des opportunités concrètes pour créer de la croissance pour tous.

Bien avant que la campagne officielle ne commence, le futur président, en tant que candidat, devra avoir présenté un programme politique clair, précis et concret, dont il devra longuement débattre avec les électeurs jusqu'au scrutin de mai 2017. Un programme réaliste et financé. Il devra s'engager devant les électeurs à le mettre en œuvre à marche forcée, dans les cent premiers jours suivant son élection, en s'appuyant sur un gouvernement resserré et sur une majorité aussi large que possible.

À l'heure où nous rendons public ce programme, le débat politique français se réduit encore à des querelles de personnes, laissant craindre des primaires vides de tout contenu programmatique – ou pas de primaires du tout. Aucun des candidats à la candidature n'a encore publié de programme complet, ni même articulé une vision de là où il entend conduire la France. Et pourtant, c'est de la vision et du programme qu'appliquera, ou n'appliquera pas, le prochain président, de 2017 à 2022, que dépend la renaissance, ou le déclin, de notre pays.

Nous, citoyens de bonne volonté, sans autre ambition que de faire vivre notre démocratie et sachant que les trois priorités majeures des Français sont l'emploi, le vivre-ensemble et la sécurité, nous avons donc décidé d'élaborer et de rendre public un programme, espérant ainsi lancer la primaire des programmes, avant celles des candidats.

1. *Où en est la France ?*

La France demeure un très grand pays : elle est encore la sixième puissance économique mondiale, un pays où il fait bon vivre, pour l'essentiel. Elle n'est pas menacée de démantèlement ni de sécession ; elle reste une nation traditionnellement tolérante, mélangée, abritant notamment les plus grandes communautés juive et musulmane d'Europe et affichant parmi les taux les plus élevés au monde de mariages mêlant les communautés.

La France est portée par des valeurs universelles admirées. Les réactions si empathiques qui se sont manifestées après les attentats de Paris en janvier et novembre 2015 ont rappelé combien notre pays était respecté, aimé du monde entier. Construit par l'État depuis mille ans, ce pays original vit aujourd'hui sans influence institutionnelle des diverses religions de ses habitants.

On y bénéficie d'une protection réelle des enfants, d'un respect des minorités, d'un État de droit respecté, d'une productivité du travail très élevée, de richesses naturelles considérables, d'infrastructures d'exception, d'une démographie équilibrée, d'un excellent système de santé, d'une vitalité culturelle extraordinaire, d'une recherche et d'une industrie encore exceptionnelles, d'un climat idéal, d'espaces terrestres et maritimes remarquables. Elle dispose d'une démocratie stable, d'une conception vivante et moderne du statut de la femme, même si les droits pleins et entiers de celle-ci restent à conquérir. Elle est, par ailleurs, la première destination touristique du monde.

Les Français d'aujourd'hui sont créatifs, entreprenants, dynamiques ; bien moins conservateurs qu'on ne le dit. Ils acceptent le changement dans les mœurs et leur vie privée. Ils sont même devenus très récemment un peuple d'entrepreneurs, conscients que les richesses se créent par le travail et dans les entreprises. On ne sait pas assez, par exemple, que la région parisienne compte 12 000 jeunes entreprises de haute technologie, soit plus que Londres ou Berlin, et qu'elle accueille les plus grands incubateurs du continent européen.

La France est un grand pays par sa présence au monde et son armée. Elle dispose du troisième réseau diplomatique au monde, présent dans quasiment tous les pays (162 ambassades bilatérales et 16 représentations multilatérales). Son appartenance à l'Union européenne et à la zone euro démultiplie ses moyens. Enfin, la francophonie lui ouvre des perspectives considérables.

Son rang dans tous les classements internationaux donnés en Annexe n° 1 est très souvent flatteur.

Cependant, et ces classements le disent aussi, la vie y reste dure, très dure même, pour un grand nombre de ses habitants. Ils se pensent oubliés parce qu'ils vivent loin des centres de pouvoir, dans des quartiers et des territoires délaissés.

La France est aussi fragilisée par des menaces diverses, militaires et non militaires, criminelles et terroristes ; par des tentatives de remise en cause de sa laïcité ; et par son système scolaire défaillant dans certaines parties du pays. Son taux de chômage est tout à fait considérable, en particulier chez les jeunes non diplômés. La jeunesse se sent particulièrement mal-traitée, notamment par le coût du logement et ses difficultés d'accès à l'emploi. Plus encore, la démographie avantage les anciens : l'allongement de la vie fonctionne même comme un impôt sur l'héritage. Deux millions de jeunes de 15 à 29 ans ne sont ni à l'école, ni en formation, ni en emploi. De jeunes Français quittent le pays pour tenter d'accomplir leur destin ailleurs, créant la condition pour que leur pronostic se réalise, en privant la France de ses forces d'avenir.

Certaines infrastructures sont vieillissantes. La démocratie y est loin d'être aussi vivante qu'elle pourrait l'être. Chacun supporte de plus en plus mal les menus avantages des autres. Le sentiment du Commun y est évanescent. Beaucoup de Français pensent que le changement ne peut que leur nuire et qu'il faudrait fermer nos frontières. Ils sentent que leur emploi est menacé, leur environnement déstabilisé ; qu'ils perdent le contrôle de leur identité, de leur Histoire ; que leur présent se délite, que leur voisinage n'est plus aimable. Aussi pensent-ils que leur avenir sera pire que leur passé. Leur pessimisme n'est qu'une mesure de la peur d'un avenir moins heureux que le présent. Bien des secteurs de l'économie, comme l'agriculture, traversent une crise existentielle ; le système de santé est menacé ; l'environnement est, dans bien des lieux, terriblement fragilisé. La dette publique est lourde. La France n'utilise pas au mieux tous ses talents ; on compte très peu de représentants des minorités dans les instances de gouvernance de l'État, du secteur public ou privé. Les lois, trop nombreuses et obscures, freinent les initiatives.

La France n'a pas confiance en son avenir. Elle pense son identité menacée et semble avoir perdu sa joie de vivre. Elle craint de ne pouvoir faire vivre ensemble des citoyens de cultures ou de confessions religieuses différentes. Elle est de plus en plus sceptique sur l'Europe, et l'Europe de plus en plus sceptique à son propos. Elle voit l'Europe comme un ennemi et les étrangers, même francophones, comme des envahisseurs. Elle ne sait plus penser clairement et fièrement sa place dans le monde. Ni en déduire une politique étrangère et stratégique ambitieuse. Elle fait de moins en moins entendre sa voix sur la scène internationale. Elle ne sait plus si elle doit vouloir s'ouvrir au monde ou se refermer comme dans un bunker ; si elle doit accueillir ou même aller chercher ceux qui veulent venir lui apporter leurs talents, ou pourchasser ceux qui viennent d'ailleurs, ou, pis encore, exclure de la communauté nationale ceux qui combattent ses valeurs.

2. Où en est la politique ?

L'avenir de la France ne dépend pas que de sa classe politique ; mais il en dépend encore très largement. Or, celle-ci est aujourd'hui à bout de souffle.

Alors que les citoyens sont de plus en plus éduqués, la classe politique continue de raisonner comme si les électeurs n'avaient besoin que d'être abreuvés de petites phrases ; et elle se contente de tenter de gérer au plus près le quotidien et d'éteindre les incendies les plus menaçants.

Les partis politiques ne sont plus capables de produire des idées utilisables de façon concrète ; ils ne font aucun travail de sociologie de la modernité politique et ne mènent aucune action concrète sur le terrain ; ils ne regroupent plus que des élus, des candidats à une élection, ou des candidats à une candidature.

Les partis confisquent la politique, et les professionnels de la politique confisquent les partis. Pour la première fois dans l'histoire de France, la politique est même devenue un métier exercé par des gens qui n'en ont exercé aucun autre avant et qui n'ont aucune formation pour en exercer un autre après. Et l'exercice de mandat local ne peut être considéré comme celui d'un métier comme les autres.

Depuis plus de vingt ans, les trois chefs de l'État successifs, leurs sept chefs de gouvernement et leurs majorités successives n'ont proposé aux Français que diverses formes d'action sans envergure, dites de gauche ou de droite. Aucun d'entre eux n'a jamais vraiment proposé, ni encore moins mis en œuvre, un programme conforme à son idéologie annoncée : aucun programme d'ensemble libéral, aucun programme socialiste. Les prétendus programmes présentés par les candidats aux élections présidentielles se sont limités pour l'essentiel, depuis plus de deux décennies, à promettre des baisses d'impôts ou la protection d'intérêts catégoriels.

Chaque président a même trouvé utile après son élection de demander à des commissions de lui proposer des projets de réformes qu'aucun d'eux n'avait inclus dans son programme présidentiel. Et naturellement, ils n'ont pas appliqué ces propositions. Chaque président a fait des erreurs pendant les dix-huit premiers mois de chaque mandat, qu'il a ensuite passé son temps à essayer, en général en vain, de corriger.

Certes, des réformes ont été tentées, sous le coup des circonstances, par certains de leurs gouvernements. Trop souvent improvisées, incohérentes, non expliquées.

Aujourd'hui, les femmes et hommes politiques des partis dits « de gouvernement », trop souvent sous l'influence des détenteurs de rentes, énormes ou minuscules, se laissent déborder par un monde qu'ils connaissent mal, par des enjeux qui les dépassent, par des menaces qu'ils n'ont pas vues venir. Ils semblent convaincus, pour la plupart et sans le dire, que rien ne peut aller vraiment mieux qu'aujourd'hui, qu'il faut surtout ne rien changer d'essentiel ; que la France ne pourrait supporter des réformes importantes, sinon celles que le progrès technique et le vent du large imposeront ; convaincus que les Français, dans leur ensemble, se révolteraient contre quiconque essaierait de mettre en œuvre un programme ambitieux.

Les autres acteurs de la vie publique se réfugient dans la recherche simpliste de boucs émissaires, qu'il s'agisse de l'Europe, des étrangers, des réfugiés, des migrants, des riches ou des pauvres ; ils utilisent à tort et à travers les termes de « patriotisme » et de « souveraineté nationale ».

Au total, les partis politiques se divisent entre ceux pour qui c'était mieux avant (c'est, pour l'essentiel, le point de vue des partis extrêmes, qu'ils se disent de gauche ou de droite) et ceux qui pensent que le pays ne pourra jamais aller mieux qu'aujourd'hui : ceux-là sont au pouvoir depuis trente ans.

Quelques-uns, dont nous faisons partie, savent que la France peut aller beaucoup mieux dans l'avenir, si on y agit avec lucidité, volonté et ténacité, sans se soucier de déplaire à court terme. Ceux-là ont plus confiance dans l'avenir de la France que dans son passé ; ils savent que les Français sont prêts à de nombreux changements, s'ils sont bien expliqués et replacés dans le contexte d'un projet clair et enthousiasmant. Ils savent qu'on peut échapper aux idéologies négatives, penser positif, à condition de tenir un véritable récit politique. Ils croient, davantage que les hommes politiques, aux potentialités de la politique. Ils savent que l'on n'a pas tout essayé ; que ni la gauche ni la droite n'a jamais vraiment osé appliquer un programme cohérent et ambitieux ; qu'aucun gouvernement n'a jamais accompli le millième de ce qu'il aurait pu faire ; et pas même le millième de ce qui pourrait faire l'objet d'un consensus entre la plupart des Français.

Parfaitement conscients de ce qui se passe dans le monde, des menaces et des potentialités qui s'y trouvent, ils en ont assez de la passivité et de la procrastination de leurs dirigeants et de ceux qui aspirent à le devenir ou le redevenir.

Ils ne veulent ni d'agitation, ni de confrontation, ni d'exclusion. Ils ne veulent pas se replier sur eux-mêmes et aspirent à retrouver le sens de la fête, du bonheur, du collectif ; ils veulent être traités en adultes et savent qu'ils peuvent encore former une communauté positive, solidaire, empathique, fraternelle, prospère, où nul ne désespérera plus de son avenir et de celui du pays.

3. Si rien ne change, où ira la France ?

Si nous continuons sur la lancée actuelle, le prochain président sera, comme ses trois prédécesseurs, celui des candidats que les Français rejetteront le moins et non celui qu'ils auraient vraiment souhaité. Il sera, une fois de plus, élu sans programme autre qu'incantatoire et dépensier, dans un pays surendetté, au service des groupes de pression les plus puissants. Il risque d'être choisi par une sorte d'union nationale factice, qui se sera rassemblée au second tour de l'élection présidentielle de mai 2017, pour s'opposer au candidat de l'extrême droite, lequel aura vraisemblablement été en tête au premier tour. Une fois élu, ce nouveau président ne gouvernera qu'avec et pour son propre camp, oubliant ceux qui l'auront élu et ceux qui auront voté contre lui.

En particulier, pendant les cent premiers jours de son mandat, les plus utiles, il ne fera que satisfaire ceux qui l'auront choisi au premier tour, ou même, plus étroitement encore, ceux qui l'auront désigné lors de la primaire de son parti, si primaire il y a eu. Si tel est le scénario de la prochaine élection, similaire à celui des précédentes, notre pays ne retrouvera pas de croissance et continuera de s'enfoncer dans le chômage et le désarroi.

Aujourd'hui, cette hypothèse est la plus probable : pendant que progressent chômage, insécurité, intolérance, l'année 2016 a commencé en France comme une succession d'affrontements de personnes, sans contenu ; en fin d'année, si rien ne change, les candidats aux primaires, de gauche comme de droite, s'opposeront sur des postures, des slogans et quelques mesures symboliques. On assiste déjà, à droite, à une pathétique course à qui proposera la plus forte réduction du nombre de fonctionnaires. Puis, les candidats finalement désignés bâcleront un programme en dernière minute et la campagne de la présidentielle se réduira, comme les trois précédentes, à des discours enflammés et des annonces plus ou moins spectaculaires, improvisées sur des estrades. Le prochain président entrera alors à l'Élysée sans vision du pays, sans projet, sans programme ; et il s'empressera, comme ses trois prédécesseurs, de ne rien faire. En 2022 dans ce cas, la dette publique dépassera les 110 % du PIB. Le chômage ne sera en rien réduit. Les taux d'intérêt augmenteront. La France sera en faillite.

Dans cette hypothèse, en 2022, ou même avant, les électeurs donneront mandat à ceux qui lui font aujourd'hui miroiter les vertus illusoires d'un tragique retour en arrière. La France sortira de l'Europe, comme ils l'ont promis ; elle fermera ses frontières, comme ils le réclament. Ce serait alors le déclin assuré, pour de nombreuses générations.

4. Pourquoi ce programme ?

C'est donc d'abord pour éviter au pays ce funeste destin que nous avons décidé de nous mêler de cette campagne présidentielle et de présenter ce programme.

Nous proposons donc ici une vision et un programme. Pas un candidat. Un programme, non un slogan. Un programme à débattre dès maintenant, entre électeurs, afin de préparer l'élection d'un président ambitieux, en mai 2017.

Un programme d'envergure visant l'efficacité, la justice, la protection des libertés, la défense des plus faibles, l'accès général au savoir et à la culture, la multiplication des opportunités pour tous, la protection de l'environnement, l'enrichissement du travail, l'ouverture aux autres et au monde, et l'intérêt des générations à venir.

Notre programme a été rédigé sans le souci d'être populaire, sans la volonté de flatter ou de servir le moindre groupe de pression, sans attache à un parti ou un camp idéologique particulier. Il rassemble d'une façon cohérente tout ce que nous croyons être dans l'intérêt du pays et de ses habitants, aujourd'hui et à venir. En particulier, il tient compte, de manière très pragmatique, de ce qui réussit dans d'autres pays, sans pour autant nier ni contredire les valeurs et les spécificités de la France. Il tient compte des aspirations d'une vaste majorité de Français : un État plus efficace, une fiscalité moins lourde, un système scolaire plus juste, un droit du travail moins contraignant et plus sécurisant, un environnement mieux protégé et une sécurité mieux assurée. Il intègre des préoccupations nouvelles, en particulier en matière d'environnement, de travail, de culture, d'éducation, d'alimentation, de formation, de prévention, de bon usage du temps et des nouvelles technologies. Il vise à aider chaque Français à trouver ce en quoi il est le meilleur, et à le vivre le plus longtemps et le mieux possible. Pour lui, pour les autres.

Il tient compte aussi, d'une façon très exigeante, des contraintes financières dans lesquelles se trouve aujourd'hui le pays et vise à desserrer au plus vite ces contraintes. Nous ne prétendons pas qu'il s'agisse du seul programme possible. Ni même qu'il ne soit perfectible. Nous espérons lancer un débat qui nous permettra d'affiner nos propositions et de les confronter, si un jour ils existent, à d'autres programmes qui se voudraient aussi ambitieux et réalistes que celui-ci.

Nous pensons que ce que nous proposons peut constituer le socle commun de tous les programmes possibles ; et qu'un vaste consensus peut rassembler les Français autour de lui.

Idéalement, il aurait fallu, pour y parvenir, modifier la loi électorale avant la prochaine élection présidentielle, pour que les élections législatives qui suivront incitent tous ceux qui auront élu le prochain président de la République à gouverner ensemble. Naturellement, cela n'aura pas lieu.

5. Qui sommes-nous pour le proposer ?

Ce programme a été préparé bénévolement, sans l'appui ni le financement d'aucun groupe de pression de quelque nature qu'il soit, par des personnes de tous âges, de toutes origines, de toutes histoires, de toutes provinces, de toutes compétences.

Aucun d'entre nous n'est un politicien professionnel et beaucoup ne se connaissaient pas au départ de l'aventure. Nous n'avons pas la prétention d'être représentatifs. Nous ne sommes pas tous de gauche. Pas tous de droite. Certains d'entre nous, même, refusent un tel clivage.

Nous nous sommes rassemblés pendant plus d'un an lors de réunions physiques et d'échanges virtuels ; nous avons interrogé d'innombrables experts, élus, praticiens, gens du terrain, soit en tête à tête, soit lors de réunions plénières. Nous avons tenu compte des nombreux rapports décrivant ce qu'il convenait de faire ; nous avons entendu des hommes politiques, des représentants syndicaux, des élus locaux ; nous avons tenu grandement compte des milliers de suggestions, émises par des milliers de Français, de toutes classes sociales, de toutes origines, de toutes régions, sur le site www.france2022.fr. Qu'ils en soient ici, une fois de plus, remerciés. Nous avons beaucoup appris sur la France et sur la formidable ambition des Français. Nous avons compris qu'ils n'attendent plus rien des politiques et tout de la politique.

Nous sommes plus que jamais convaincus que rien n'est perdu, et que la France a, plus que jamais, les moyens de redevenir un très grand pays, positif, ayant confiance en lui-même, ouvert sur le monde, où les générations à venir trouveront les moyens de réaliser leurs aspirations.

Encore faut-il, avant de présenter ce programme, éclairer le contexte dans lequel il s'inscrira.

6. Dans quel monde vivrons-nous ?

Au cours des cinq prochaines années, le monde connaîtra d'immenses bouleversements. Certains seront très positifs, d'autres menaçants. Ils auront un impact considérable sur la France. On peut, sans risque, en décrire quelques-uns.

La population de la planète augmentera de plus de 350 millions de personnes, lesquelles habiteront, pour l'essentiel, en Inde et en Afrique. Ce continent deviendra un moteur de croissance pour la France et la francophonie. L'équilibre des nations changera. Les États-Unis ne seront plus la seule puissance dominante, et aucune autre ne la remplacera comme maître du monde. La Chine rencontrera de grandes difficultés à retrouver un chemin équilibré de croissance. L'Inde, l'Indonésie et le Nigeria apparaîtront comme de grandes puissances. D'autres, tels la Russie ou le Brésil, souffriront de leur développement trop centré sur des matières premières, dont le cours aura, sauf accident, continué à stagner. La gouvernance mondiale et l'État de droit planétaire seront de plus en plus incertains.

Plus de 300 millions de ruraux, pour l'essentiel dans les pays du Sud, quitteront la campagne pour la ville. Plus de 50 millions de personnes changeront de continent. L'espérance de vie dans le monde augmentera d'un an au moins. Le nombre de pauvres diminuera. Plus de 300 millions de jeunes entreront à l'école, autant entreront sur le marché du travail. La place des femmes dans la société sera bien plus grande qu'elle ne l'est aujourd'hui. Un changement positif de mentalité aura lieu sur les questions de l'environnement et, en particulier, sur le climat.

Des mutations technologiques majeures adviendront dans le numérique, les biotechnologies, les nanotechnologies, les neurosciences. Elles ouvriront de nouvelles perspectives formidablement positives, régleront bien des problèmes et en créeront de nouveaux. Elles bouleverseront notamment notre rapport à la naissance, à l'identité, à la santé et à la mort. Elles permettront aussi de modifier profondément, positivement, la nature des échanges économiques, en favorisant l'économie de l'altruisme et de l'échange non marchand ; en rendant possibles des économies d'énergie majeures ; en facilitant la prévention dans de très nombreux domaines, de la santé à la sécurité, de l'environnement à l'éducation, du travail à la création artistique. Enfin, elles permettront d'exercer tout autrement, à moindre coût, de façon plus transparente, économe et efficace, les fonctions de l'État et les diverses tâches des services publics, nationaux, locaux et associatifs, de simplifier les procédures, de réduire la corruption et de favoriser la participation à la vie démocratique.

Toutes ces mutations créeront plus d'occasions d'être utile, plus de désir d'altruisme ; elles ouvriront la possibilité d'aller vers une globalisation régulée, harmonieuse, protectrice des identités et de la nature, juste et soucieuse de l'intérêt des générations suivantes.

Bien des pays sauront les utiliser au mieux ; et nous avons tenu compte de ces réussites présentes et à venir dans l'élaboration de ce programme. Dans la plupart des cas, cette réussite sera fondée sur la confiance de chaque citoyen dans les autres.

Cependant, bien des menaces persisteront : des catastrophes climatiques majeures auront lieu ; un grand nombre d'espèces vivantes seront menacées et disparaîtront ; la pollution de l'air et de l'eau aura augmenté. Malgré l'accord de Paris et ce qui pourra en découler, le problème du réchauffement climatique ne sera en rien réglé. Des guerres se perpétueront en Afrique, en Asie, au Moyen-Orient ; de nouveaux conflits pourraient se déclencher à nos frontières de l'Est et du Sud, entre nos voisins du Sud et de l'Est, comme dans les mers lointaines, où les intérêts de la France seront en cause. Des idéologies brutales s'affirmeront, attaquant notre mode de vie et notre conception de la laïcité ; elles s'insinueront dans notre jeunesse. Nous affronterons de plus en plus de terrorisme, de toutes sources, et en particulier, mais pas seulement, venu de l'islamisme radicalisé et de l'islamisation de la radicalité. La désarticulation des pays du Sahel, dont l'évolution démographique sera exponentielle, peut déstabiliser toute l'Afrique de l'Ouest, avec d'immenses retombées sur la France.

Par ailleurs, la planète traversera, traverse déjà, une nouvelle crise économique et financière ; profonde et systémique, elle mettra en cause le système financier mondial et entraînera dans sa chute les États les plus endettés. La construction européenne, si fondamentale pour notre avenir, sera menacée, faute d'ambition et de projets, dont l'action de la Banque centrale ne suffira pas à masquer l'absence. Des migrations considérables s'accéléreront, qui emmèneront à travers le Sud et vers le Nord des millions de réfugiés. L'affrontement géopolitique des grandes puissances deviendra de plus en plus dur, cruel, égoïste. L'Europe restera comme un géant sans tête dans un monde de stratèges impitoyables et cyniques. La fermeture des frontières sera la réponse la plus vraisemblable des nantis ; elle pourrait conduire à une guerre mondiale.

7. Dans quelle France ?

Pendant les cinq prochaines années, la France aura encore tous les attributs potentiels d'une grande puissance, militaire et diplomatique. Elle comptera encore parmi les dix premières puissances économiques du monde ; et, au pire, sera la troisième d'Europe. Sa population va croître d'au moins 3 millions de personnes. L'espérance de vie y augmentera, au rythme de la dernière décennie, de plus d'un an et demi ; et l'espérance de vie en bonne santé de près de deux ans. Elle sera très bien placée pour satisfaire la nouvelle demande mondiale de services et de biens de consommation. Elle sera un lieu privilégié pour les chercheurs, les entrepreneurs, les investisseurs, les touristes. Elle devra d'abord affronter le défi de la réaffirmation et de la réinvention de son identité. Repenser sa définition de la laïcité et redéfinir la place des religions dans son destin. Elle devra avoir une vision claire de ce qu'elle souhaite devenir, et devra ainsi se définir, selon nous, non comme une ethnie, une race, une religion ou une couleur de peau, non plus par l'exclusion de ceux qui n'en sont pas aujourd'hui, mais comme la poursuite d'un projet millénaire, conjonction d'une langue, d'un territoire et d'un rassemblement de personnes, autour d'un État, d'une histoire et de valeurs communes.

Une langue : la langue de la France, le français, sera si on agit bien, la langue de plus de 700 millions de personnes dans le monde.

Un territoire : la France est composée d'un hexagone, dans une position géographique unique, au climat remarquablement tempéré ; auquel s'ajoutent des territoires, eux-mêmes très variés, prometteurs et magnifiques, dispersés sur les cinq continents. La France est aussi présente partout ailleurs dans le monde ; près de 3 millions de ses enfants vivent hors de ses territoires et, pour la plupart, y portent ses valeurs et y défendent ses intérêts. Elle dispose aussi de territoires sous-marins considérables, aux richesses immenses.

Un rassemblement de peuples : elle a réuni sur son territoire, de façon globalement très bénéfique pour les nouveaux venus comme pour ceux qui les accueillent, des Gaulois, des Juifs, des Celtes, des Romains, des Francs, des Ibères, des Arabes, des Germains, des Berbères, des Bretons, des Corses, des Provençaux, des Flamands, des Alsaciens, des Lorrains, des Italiens, des Polonais, des Russes, des Marocains, des Algériens, des Espagnols, des Portugais, des Tunisiens, des Sénégalais, des Vietnamiens, des Chinois, des Libanais, des Syriens, des Afghans et bien d'autres.

De tout cela, l'État a fait un seul peuple, ayant cette seule langue en partage, se reconnaissant dans une identité et des valeurs communes : la passion de l'égalité, l'amour de la liberté, la tolérance pour les idées et les croyances des autres, la laïcité, l'ouverture au monde, la république, le respect des droits de l'homme, dont fait partie l'obligation de donner accueil à toute personne en danger. Un pays donné, encore aujourd'hui par beaucoup, en modèle au monde ; un pays admiré, respecté, jalousé.

Cette définition de la France doit rester notre projet. Elle doit se nourrir aussi de tout ce que le monde nous apporte, et des idées que chacun peut y apporter.

Même si tout cela est menacé, la France doit avoir comme ambition, pour les cinq prochaines années, de redevenir une très grande puissance. Elle doit penser son avenir avec optimisme, fraternité, solidarité et empathie ; permettre à chaque Français de retrouver confiance en son avenir, en l'épanouissement de ses potentialités, en l'espérance d'une mobilité sociale positive, en la promesse de protection en cas de coup dur, sans peur du déclassement. Elle doit se vouloir plus ouverte, moins tournée vers la rente, plus maritime que terrestre.

Pour y parvenir, elle doit maintenir une priorité absolue à la jeunesse, dont tout dépend ; elle doit réaffirmer que son identité, toujours en construction, se nourrit au contact des autres nations et des autres cultures ; elle doit rayonner, en particulier en Europe et dans la francophonie. Elle doit protéger et renforcer les acquis de la construction européenne, en particulier ceux de la relation franco-allemande. Elle doit s'en donner les moyens en retrouvant le chemin d'une plus forte croissance.

8. Avec quel président ?

L'avenir du pays dépend d'abord de chacun de ses habitants et de leur capacité d'action. De la création d'entreprises, d'associations et, même, de partis politiques. La croissance sera de plus en plus le fruit des initiatives de chacun ; la solidarité dépendra de plus en plus largement de l'altruisme dont chacun fera preuve ; la sécurité du pays sera de plus en plus de la responsabilité de chacun de nous.

Si chacun cesse d'attendre tout de l'État et se prend en main, si chacun cherche à réaliser ses ambitions, à devenir soi, le pays et ses habitants iront beaucoup mieux.

Il n'empêche : l'État continuera d'avoir un rôle majeur à remplir. En particulier, celui qui sera à son sommet jouera un rôle déterminant. Celui-ci fut, pendant près de quinze siècles, un roi ou un empereur, remplacé depuis plus d'un siècle par un président de la République, un gouvernement et un parlement.

Selon l'actuelle Constitution française, le président assure le lien entre le passé et l'avenir. Il est le garant des institutions et de l'intégrité et de la sécurité du pays. Il doit faire de son mieux pour que tous les Français d'aujourd'hui vivent ensemble le plus harmonieusement possible ; et pour assurer les meilleures conditions de vie aux prochaines générations.

Bien sûr, le président de la République, et plus générale-ment l'État, a, et aura, de moins en moins d'influence sur la vie des gens. En particulier, le prochain président de la Répu-blique aura beaucoup moins de pouvoir que son prédécesseur, et infiniment moins que celui qui occupait le même bureau il y a trente ans. De fait, depuis qu'ont été mises en place les ins-titutions de la Ve République, le pouvoir présidentiel a beau-coup diminué, par l'effet conjugué de la mondialisation, de la décentralisation, de l'autonomisation excessive des comités et des agences, des privatisations, de la construction européenne et des révisions constitutionnelles successives.

Il n'empêche : le prochain président aura encore un rôle majeur, pour insuffler une volonté, donner un cap, fixer une direction, conduire l'action de l'État, établir des priorités, sur-tout s'il sait s'appuyer sur un État fort et efficace, des fonc-tionnaires motivés, en décentralisant ce qui doit l'être ; en déconcentrant ce qui peut être fait par les échelons locaux de l'État.

Dans un moment qui sera particulièrement dangereux et passionnant, le prochain président devra, plus qu'aucun autre, penser au long terme, sans se préoccuper de sa popularité, et encore moins d'une éventuelle réélection. Il devra dire la vérité, créer de la confiance, afficher une vision.

Il devra organiser le maintien, la valorisation, l'évolution et la protection de l'identité et de la souveraineté nationale, par une gestion audacieuse et ambitieuse de la politique étrangère et de la défense, en trouvant un juste compromis entre l'ouverture et la protection, entre la défense de l'identité et l'apport de l'extérieur. En particulier dans la construction francophone et la construction européenne.

Idéalement, le prochain président devra avoir annoncé à l'avance qu'il ne sera plus candidat à aucun autre mandat.

Idéalement, il devra être une femme ou un homme de caractère, de vision et de grande compétence technique, ayant exercé d'autres métiers que la politique ; une personne cultivée, courageuse, désintéressée, connaissant le monde et ses enjeux, motivée par le seul souci d'être utile au pays, pendant une courte période.

Pour y parvenir, il doit avoir lui-même confiance en la France, se sentir capable de créer l'harmonie entre ses habitants, et ne pas organiser un conflit entre eux au cours de la campagne à venir. Il devra être habité par une vision à long terme des intérêts du pays, et croire à la possibilité comme à la nécessité de le reformer. Il ne doit pas chercher à plaire : les Français méprisent les dirigeants faibles et respectent les hommes d'État. Il ne devra pas décider de tout ni de se substituer au gouvernement, au Parlement, aux syndicats, aux entreprises, à la société civile. Il devra être capable de déléguer, de négocier, de laisser d'autres décider, de faire confiance et d'inspirer durablement confiance.

Nous ne prenons ici parti pour aucun candidat en particulier. Ni contre, à condition qu'il respecte un socle non négociable de valeurs. Et ce qui précède ne vise pas à tracer le portrait-robot d'un candidat qui serait déjà identifié.

9. Trois objectifs principaux pour 2022 : l'audace, le rassemblement et la protection

Le prochain président devra donc affirmer quelques ambitions, qui dépasseront la durée de son mandat, qui peuvent se regrouper autour des trois idées suivantes : oser, rassembler, protéger.

1. Permettre à chaque Français de réaliser pleinement ses aspirations : OSER

D'abord, la nation, et en particulier l'État, devra relancer la croissance durable et aider chacun à échapper à ses déterminismes sociaux pour trouver ce en quoi il est unique, ce à quoi il aspire, pour qu'il ose se réaliser.

L'État devra assurer à chacun la sécurité et le respect de l'État de droit. Il devra favoriser avant tout le plein et le bon emploi. Et pour cela, offrir à tous l'éducation tout au long de la vie, en particulier dès la maternelle, et aux chômeurs de longue durée.

Il devra affirmer que l'entreprise, commerciale ou associative, est le lieu principal de création de richesses et d'emploi, qu'elle doit être un lieu de partage et non d'aliénation. Il devra favoriser la richesse créée plutôt que la richesse transmise ; encourager à prendre des risques, en y préparant les plus jeunes et en protégeant tous contre les conséquences de l'échec ; il devra faire en sorte que chacun trouve assez d'intérêt à son travail, devenu valorisant, pour que la réduction de sa durée ne soit plus, à long terme, un objectif.

Il devra aider à l'intégration de tous les étrangers que le pays aura décidé d'accueillir. En particulier, il devra tout faire pour attirer le plus grand nombre de talents et d'investissements venus de l'étranger.

2. Permettre à la société française d'assurer sa cohésion : RASSEMBLER

L'identité française devra être maintenue et renforcée. Il faudra en particulier protéger et enrichir sa langue, son territoire, et ses valeurs, au premier rang desquelles figurent l'égalité, la liberté, la fraternité, la laïcité.

Il faudra faire vivre la démocratie dans toutes ses dimensions : au niveau national, local, dans l'entreprise, dans les syndicats et la vie associative. Encourager les nouvelles formes de démocratie participative, tout ce qui peut permettre l'émergence d'un citoyen plus écouté, plus impliqué, plus actif.

En particulier, il faudra créer les conditions pour que chacun comprenne qu'il a intérêt au bonheur des autres et permettre aux diverses générations de trouver les conditions d'un compromis, au service des plus faibles, c'est-à-dire avant tout les plus jeunes, les handicapés et les plus âgés. De même, il faudra créer les conditions d'une plus grande mobilité sociale, pour que nul ne se sente exclu de la vie collective, ni des chances d'y réussir. Il faudra pour cela défendre la laïcité, la rendre vivante, à la fois exigeante et ouverte. Nul ne doit être inquiété pour l'exercice de sa foi. Nul ne doit l'imposer aux autres ou en faire un instrument politique. L'école, en particulier, devra protéger les enfants des choix faits par un environnement familial.

3. Permettre à la France de maintenir son identité et sa liberté : PROTÉGER

Pour atteindre les objectifs précédents, la France devra renforcer sa sécurité et son influence culturelle. Cela suppose un renforcement massif de ses moyens militaires, policiers et judiciaires. Ainsi que des moyens de sa politique culturelle, qui doit être au cœur du projet politique.

Elle devra aussi faire respecter sur son sol un État de droit, pour que chacun s'y sente protégé contre l'intolérance, le racisme, l'arbitraire, le fondamentalisme.

Elle devra porter ses valeurs partout dans le monde, et en particulier affirmer dans tous les forums internationaux l'importance des droits de l'homme et de la laïcité. Elle devra affirmer que la fermeture des frontières serait absurde et suicidaire, qu'elle ne serait ni nécessaire ni suffisante pour maintenir l'identité de chaque nation.

Elle devra faire de l'Europe et de la francophonie deux axes majeurs de son développement, et faire valoir que plus d'Europe et plus de francophonie, c'est plus de France. Il faudra en particulier assurer une défense commune des frontières de l'Union européenne.

Atteindre ces trois objectifs permettra de réaliser les trois ambitions auxquelles les Français sont le plus attachés aujourd'hui : l'emploi, la sécurité et l'avenir de leurs enfants.

Ces trois objectifs sont intimement liés : les Français ont besoin, pour réussir individuellement, que la France réussisse comme pays et qu'il soit possible d'y vivre harmonieusement ensemble. Et réciproquement, ils doivent pratiquer eux-mêmes activement la solidarité, l'empathie, l'altruisme pour que le pays soit protégé et progresse.

10. *Les principales réformes à engager*

Pour atteindre ces objectifs, il faut d'urgence mettre en œuvre un grand nombre de réformes, cohérentes et réalistes. C'est l'objet du programme qui suit.

Nous nous sommes assurés de sa cohérence économique, sociale et financière. Sous réserve de l'occurrence d'une crise internationale majeure, ce programme visera à une accélération significative de la croissance, à la stabilisation de la dette publique, à la réduction de la part des dépenses publiques et des prélèvements obligatoires dans le PIB. Il devrait permettre une baisse très significative du nombre de chômeurs. Il vise à mettre en place, en particulier, un État fort mais pas obèse, qui pourra assurer la même qualité des services publics avec moins de dépenses publiques, en recentrant les transferts sociaux sur ceux qui en ont besoin, et en simplifiant tout ce qui peut l'être.

Un tel programme ne peut se résumer en dix lignes ; il devra être exécuté de façon globale, et son analyse exigera de la part des électeurs, au cours de 2016 et des premiers mois de 2017, un effort d'analyse particulier ; justifié puisque du choix de ce programme dépend l'avenir du pays.

D'où l'importance de le faire connaître le plus tôt possible, pour en débattre ; et, si nécessaire, le compléter ou l'amender. Nous pensons que ce programme peut être amélioré si on nous convainc qu'on peut faire mieux en faisant autrement. D'ici mai 2017, bien des choses se passeront et il ne faut pas exclure que d'autres réformes soient imposées par les circonstances.

Avant d'entrer dans le détail de ce programme, et pour en faire comprendre l'ampleur, voici quelques-unes des principales réformes que nous proposons, dont le détail et la justification sont donnés ensuite. Elles s'expriment dans un cadre budgétaire contraint avec des priorités à la défense, la sécurité, l'éducation et la justice. Elles devront en particulier être menées sans augmenter l'endettement public du pays qui constitue une charge à la limite du tolérable.

Elles ne sont en rien exhaustives, seulement illustratives. Elles ne sont pas expliquées ici. À peine énoncées. Et la lecture de ce résumé ne remplace pas celle de l'ensemble du texte.

La présentation du programme regroupe les réformes par thème. Il va de soi que toutes sont cohérentes et servent plusieurs objectifs simultanément.

LE SOCLE DU PROGRAMME

1. Permettre à chaque Français
de réaliser pleinement ses aspirations : OSER !

— Créer les vraies conditions de l'égalité des chances, par la lutte contre l'échec scolaire dès la petite enfance.

- **Augmenter massivement le taux d'encadrement** à l'école maternelle (1 enseignant pour 3 enfants) dans les zones d'éducation prioritaires.
- **Renforcer le travail d'orientation** scolaire et professionnelle dans les établissements scolaires.
- **Renforcer l'autonomie et l'évaluation des universités et des universitaires.**

— Donner à tout adulte les moyens de la liberté et de l'autonomie, par la montée en qualification, l'activité et la mobilité.

- **Faire respecter l'obligation de formation prioritaire des salariés les moins qualifiés.**
- **Accorder un contrat d'évolution** à tout demandeur d'emploi qui accepterait de se former en échange d'une rémunération, en substitution à l'allocation chômage.
- **Favoriser la mobilité choisie :** simplifier et favoriser partout la transformation de bureaux en logements ; libérer des terrains et inciter à construire des immeubles, en particulier en grande hauteur à Paris.
- **Encourager la création d'entreprise et l'usage du numérique dans toute la société.**
- **Rééquilibrer l'ensemble du système fiscal en diminuant les impôts ressentis** (impôt sur le revenu, impôt sur les sociétés, impôt sur la fortune).

2. Permettre à la société française d'assurer sa cohésion : RASSEMBLER !

– Recréer du Commun.
  • Organiser un renouvellement et une meilleure représentativité de la classe politique : un président élu pour sept ans, pas plus de deux mandats pour chaque élu ; beaucoup moins d'élus à tous les niveaux.
  • Renforcer la représentativité et le rôle des partenaires sociaux dans l'entreprise.
  • Développer des rites républicains tels que la remise solennelle de la première carte d'électeur.
  • Réaffirmer la laïcité par une mesure symbolique de calendrier.
  • Revaloriser la place de la culture dans la société.

– Assurer la sécurité de tous.
  • Créer une nouvelle police de proximité.
  • Doubler le budget de la justice et du système carcéral.

– N'exclure aucun des membres de la société, ni aucun territoire de la République.
  • Donner la priorité d'équipement aux territoires rurbains et oubliés.
  • En finir avec l'exclusion de fait des personnes handicapées : se fixer comme objectif une scolarisation en cinq ans de tous les enfants handicapés sans exception. Développer l'emploi d'accompagnateur externe chargé d'aider les personnes souffrant d'un handicap à trouver un emploi, de les conseiller quand ils sont en poste et plus généralement de leur apporter un suivi sur mesure tout au long de leur vie professionnelle.
  • Miser sur l'apprentissage de la langue et des valeurs républicaines pour les nouveaux venus dans le pays.

• Affirmer les Outre-Mer et le monde agricole comme dépositaires de richesses de la nation et comme acteurs majeurs de la protection de l'environnement.

3. Permettre à la France de maintenir son identité et sa liberté : PROTÉGER !

– Être mieux armé face aux menaces, qu'il faut davantage anticiper.
  • Consacrer 2 % du PIB au budget de la défense nationale.

– Assurer la résonance et le poids de la voix de la France dans le monde.
  • Distinguer entre l'Union européenne, à vocation ouverte, et la zone euro, à vocation fédérale.
  • Faire de la francophonie un axe majeur de la diplomatie française.
  • Concentrer l'aide au développement sur les pays du Sahel.
  • Proposer l'institution d'un G12 comme instance de gouvernance mondiale, en remplacement des G7/G8, et en laissant les questions strictement économiques et financières à l'instance élargie qu'est le G20.

– Affirmer la France comme pôle mondial d'attraction pour les entreprises, les touristes et les investisseurs.
  • Moderniser et optimiser les réseaux d'infrastructures existants pour décongestionner et renforcer les conditions de la mobilité.
  • Faciliter l'implantation en France des talents étrangers *via* une politique active en matière de visas.

1

Les institutions et la vie politique : renouvellement, intégrité, proximité

> « La souveraineté nationale appartient au peuple
> qui l'exerce par ses représentants et par la voie
> du référendum. Aucune section du peuple
> ni aucun individu ne peut s'en attribuer l'exercice. »
> Constitution de la Ve République, Article 3

Depuis 1871, tous les régimes républicains ont été résumés par l'origine professionnelle dominante des figures de proue des parlements de l'époque : république des éditorialistes au début de la IIIe république, puis celle des avocats et des médecins sous les IIIe et IVe ; république des énarques sous le gaullisme et le giscardisme ; république des professeurs en 1981. Tous (éditorialistes de journaux, médecins, avocats, hauts fonctionnaires, professeurs) avaient exercé un métier avant d'entrer en politique.

Depuis une vingtaine d'années, la sociologie politique en France s'est profondément transformée. La république actuelle est devenue l'apanage de ceux qui n'ont jamais occupé d'autre emploi que directement politique, et qui sont issus d'une mouvance de jeunes, d'associations ou de collectivités entourant leur parti politique ; ce sont, dès le plus jeune âge, des politiciens professionnels. Progressivement, ils ont institué à leur bénéfice un statut de l'élu, prévoyant diverses rémunérations, indemnités et défraiements, protection et retraite.

Cette évolution a eu plusieurs conséquences désastreuses sur l'ensemble du système politique français.

1. Les élus, notamment au Parlement, ne représentent plus aucune des catégories socioprofessionnelles existantes. Une même déconnexion de représentation est patente en termes d'âge, de sexe et d'origine. Il n'y a clairement pas assez de femmes, de jeunes, de minorités au Parlement.

2. Les partis politiques deviennent des machines à distribuer des postes. Le militantisme devient une affaire de professionnels.

3. Ces nouveaux élus ou ministres n'ont jamais eu de patrons, de collaborateurs, de clients, d'élèves. Ils ont été formés par un parti et ses organisations de jeunes et d'étudiants : toutes organisations éminemment respectables et utiles, mais on n'y apprend pas à s'interroger, plutôt à s'indigner ; pas à travailler des dossiers, mais à organiser des rassemblements ; pas à prendre des décisions, mais à rédiger des motions. Le viatique d'une carrière de ce type, c'est de réussir quelques coups médiatiques, de montrer assez de capacité de communication – ou de nuisance – pour se faire intégrer sur une liste, à l'occasion de la synthèse à la proportionnelle des courants. L'économie réelle n'est pas pour eux un champ d'interrogations ou d'études, mais un inépuisable réservoir de postures, d'occasions de s'indigner. Quand ils deviennent ministres, il leur faut du temps pour s'habituer à ce qui normalement s'apprend dans la vie à côté de la délibération politique : travailler, lire, écrire, compiler, faire l'effort de comprendre des sujets qu'on ne connaît pas ; apprendre à trancher, c'est-à-dire produire de la décision ; et, en attendant, apprendre à se taire. Et l'expérience de maire ou d'élu régional ne saurait leur apporter les compétences d'une vraie confrontation au travail.

4. Ces hommes politiques, pour la plupart, ne voyagent pas ; ils ne parlent que rarement l'anglais ; ils ne savent rien des réformes menées chez les autres.

5. Ces parlementaires votent la loi fiscale, alors qu'elle ne s'applique que partiellement à eux, puisqu'ils ont décidé de n'être imposés que sur une partie de leurs revenus, contrairement au reste des Français.

6. Ce nouveau groupe socioprofessionnel a intérêt à ce qu'existe le plus grand nombre possible de postes d'élus nationaux et locaux, de collectivités locales, d'établissements divers. Il lui faut donc gagner en priorité les élections locales. Une élection municipale perdue, c'est, pour un parti politique, synonyme de plan social, pour un maire, ses adjoints, une dizaine de membres de cabinet, quelques hauts fonctionnaires des services, des emplois induits dans les associations ou les organismes parapublics cousins – au moins des milliers, peut-être quelques dizaines de milliers de militants à la rue, qui sont souvent depuis longtemps des professionnels de la politique, et ont le plus grand mal à se reconvertir. Il leur est donc fortement déconseillé de prendre le risque d'être provisoirement impopulaires. Et d'un autre côté, la République des attachés parlementaires coexiste avec le pouvoir de la technocratie, et l'incurie politique que nous connaissons est aussi le fait des technocrates.

À cela s'ajoutent trois points essentiels, portant sur la fonction présidentielle :

1. Même si ce qu'on appelait « souveraineté » ou « pré carré » présidentiel s'est considérablement amenuisé, l'agenda du président de la République reste lourdement préempté par la multiplication des réunions des nouvelles instances de régulation politique et économique mondiale.

2. La répartition des rôles entre président de la République et Premier ministre est brouillée ; le président se mêle trop souvent de détails relevant de compétences gouvernementales.

3. Le quinquennat est venu déstabiliser encore davantage le système, en mettant le chef de l'État à la merci des partis alors qu'il devrait, une fois élu, non plus être le chef d'un parti mais le représentant de tous les Français, au service de tous les Français, électeurs ou non-électeurs.

Enfin, les partenaires sociaux ne représentent que quelques acteurs de la société, puisqu'ils ne portent pas les intérêts des chômeurs, ni des inactifs, ni des consommateurs, ni des citoyens. Il convient donc de rendre au Parlement des compétences injustement déléguées aux partenaires sociaux, en renforçant le rôle de ces derniers dans l'entreprise et en leur donnant tous les moyens pour y être plus représentatifs.

Il en résulte les propositions suivantes.

PROPOSITIONS

AXE 1 : GARANTIR L'INTÉGRITÉ

– **Passer à un mandat présidentiel de sept ans non renouvelable** et déconnecté de l'agenda des élections législatives.
– **Imposer les parlementaires avec le même barème que tous les autres citoyens sur l'ensemble de leur rémunération,** à charge pour eux de déduire les frais professionnels réellement exposés.
– **Rendre obligatoire une justification détaillée des frais de mandat et de l'utilisation de la réserve parlementaire,** et contrôler cet usage sur le modèle des parlements nordiques.
– **Exiger un quitus fiscal de tout candidat à une élection nationale ou locale.**
– **Faire certifier les comptes de chacune des deux Assemblées** dans les mêmes conditions que ceux des entreprises cotées.

– **Créer dans chaque Assemblée une véritable commission de déontologie** qui statuerait sur les activités concomitantes au mandat de parlementaire.

– **Réformer le régime des retraites des parlementaires, dérogatoire et scandaleusement favorable.**

AXE 2 : ORGANISER UN RENOUVELLEMENT
ET UNE MEILLEURE REPRÉSENTATIVITÉ DE LA CLASSE POLITIQUE

– **Alléger substantiellement le Parlement en nombre : 200 députés et 50 sénateurs,** soit encore la moitié des parlementaires aux États-Unis alors que notre population équivaut au cinquième de la leur.

– **Limiter à deux dans le temps les mandats pour tous les parlementaires et les élus locaux,** tout en maintenant l'interdiction de cumul d'un mandat national avec un exécutif local.

– **Faciliter** l'accès des salariés aux fonctions électives, sur l'exemple d'entreprises pionnières comme Michelin[1].

– **Instaurer une parité hommes-femmes obligatoire à l'Assemblée nationale et au Sénat.** Supprimer la déductibilité fiscale des cotisations versées aux partis qui n'auront pas respecté l'obligation légale de parité ; ce qui incitera les partis à présenter des femmes dans les circonscriptions qu'ils pensent pouvoir gagner.

Les réformes aboutiront à terme à des économies considérables.

---

1. Chez Michelin, les élus sont assurés de retrouver leur poste quand arrive à échéance leur mandat électif, comme c'est le cas chez les fonctionnaires.

AXE 3 : LE RÔLE DU PARLEMENT : DÉVELOPPER LA CULTURE
DE L'ÉVALUATION ET DE LA CONCERTATION

– **Rétablir l'article 49-3** dans la version du 4 octobre 1958, avec la possibilité de l'utiliser autant de fois que nécessaire.
– **Faire preuve d'une plus grande rigueur dans la distinction des articles 34 et 37 de la Constitution**, c'est-à-dire entre ce qui relève du domaine de la loi et ce qui relève du pouvoir réglementaire : la loi doit arrêter les grands principes et laisser aux décrets ou aux ordonnances le soin de définir les modalités d'application avec un contrôle strict du Conseil constitutionnel.
– **Consacrer 50 % du temps parlementaire au contrôle** de l'exécution des lois, au bilan de leur impact, de l'action du gouvernement, des autorités administratives indépendantes et des agences, en s'appuyant notamment sur le travail de la Cour des comptes et des inspections des ministères.
– **Gager tout vote d'une nouvelle loi par la suppression de deux autres** dans le même champ d'application.
– **Consacrer un jour par semaine aux questions européennes avec audition des ministres qui vont négocier à Bruxelles la semaine suivante, ainsi que des commissaires européens**, et auditionner au Parlement une fois par an le président de la Commission européenne.

AXE 4 : LA PLACE DU DIALOGUE SOCIAL

– **Offrir le choix dans chaque branche entre l'obligation de tous les salariés à adhérer à un syndicat ou la limitation de l'ap-plication des accords aux seuls syndiqués.**
– **Renforcer impérativement les règles de la représentativité des partenaires sociaux.**
– **Permettre les référendums au niveau des entreprises.**
– **Assainir les règles de financement des organisations syndi-cales et patronales**, afin que leurs ressources dépendent des

seules cotisations des affiliés, sur le modèle des syndicats nordiques. Il n'est pas normal qu'une partie des prélèvements sociaux viennent alimenter le financement des partenaires sociaux, syndicats et organisations patronales, à travers notamment les gestions paritaires de la formation professionnelle, des caisses de retraite, du 1 % logement.

– Certifier et publier les comptes des syndicats et des organisations patronales.

– Confier à l'État la gestion des principales prestations sociales, notamment la maladie et la vieillesse avec optimisation des frais de fonctionnement et de gestion.

– Transformer le Conseil économique, social et environnemental en un conseil consultatif représentant les générations futures, avec des membres de moins de 30 ans tirés au sort.

AXE 5 : PROMOUVOIR L'ÉCONOMIE POSITIVE

Il est temps d'échapper à la dictature du court terme, à la dictature des sondages. Et de rendre au politique les moyens de penser et d'agir à long terme, en prenant en compte les intérêts des prochaines générations. Pour ce faire, il faut mettre en place une société et une économie positives

– Favoriser le long terme dans toutes les décisions.

– Développer les instances démocratiques donnant une voix aux générations suivantes.

– Donner aux actionnaires des entreprises un droit de vote proportionnel à la durée de détention des titres dans le passé et d'engagement pour l'avenir.

– Mesurer l'impact à long terme des lois les plus importantes.

– Favoriser les pôles d'investissement à long terme.

– Exiger et publier une mesure de la « positivité » des entreprises, des régions et des villes.

2

Recréer du Commun :
la société française rassemblée

> « L'Angleterre est un empire, l'Allemagne un pays,
> la France est une personne. »
> Jules Michelet

Nombreuses sont les manifestations de la perte de ce que nous, Français, avons en commun : discriminations rampantes à l'embauche, liées à l'âge, au sexe, à l'origine, à la couleur de peau, et même au lieu de domicile ; endogamie des populations les plus diplômées ; repli communautaire ; rejet du politique ; perte d'empathie face à la souffrance de l'autre ; crispation sur les rentes et refus de la solidarité ; violences faites aux femmes ; montée de l'antisémitisme, du racisme et de la xéno-phobie. Ce constat n'est ni nouveau ni récusable. Il ne va qu'en s'aggravant.

Le Commun ne sera pas recréé naturellement, en particulier par le seul sursaut national à la suite des événements tragiques de janvier et novembre 2015.

Pour recréer du Commun, il faut d'abord rappeler qu'il existe un intérêt général qui dépasse la somme des intérêts particuliers. C'est aller même au-delà du « collectif » : un bien collectif, par exemple l'éducation, est utilisé individuellement par ses bénéficiaires, qui peuvent donc en profiter de manière inégale, alors qu'un bien « commun », par exemple la liberté, la démocratie, l'environnement, bénéficie *ipso facto* à tous, et ne prive personne de s'en servir.

Le Commun, dans une République comme la nôtre, c'est le contraire du populisme. Le Commun nous rappelle ce qui nous unit, et ce que nous avons à perdre. Parler de Commun, c'est aussi lutter contre les discours de fermeture, ne pas leur laisser le monopole de l'identité nationale, ne pas les laisser chercher des boucs émissaires, plus simplement ne pas leur laisser offrir un programme simple promettant des satisfactions immédiates.

Recréer du Commun n'est pas unifier ni homogénéiser. C'est reconnaître, respecter et valoriser la pluralité et la richesse de l'ensemble des individus qui forment la société française. C'est tout le contraire du repli communautaire. Le Commun suppose le respect et la tolérance, la liberté de conscience, l'égalité de toutes et tous, et la laïcité.

Cette problématique n'est pas nouvelle ; elle avait été largement abordée lors de la Commission de réflexion sur l'application du principe de laïcité dans la République présidée par Bernard Stasi en 2003 ; mais, à part quelques mesures telles que celle relative au port de signes religieux ostensibles à l'école, rien n'a véritablement été appliqué.

L'enjeu du Commun, c'est d'expliquer en termes clairs ce que chacun et la collectivité ont à perdre en appliquant des recettes sommaires.

Pour y parvenir, il faut faire vivre pleinement tout ce qui fait le Commun, par la citoyenneté, par l'école et par le refus de toute discrimination.

Tel est le but des propositions qui suivent.

Propositions

AXE 1 : UTILISER L'ÉCOLE COMME OUTIL DE FORMATION AU COMMUN

– **Imposer l'uniforme à l'école jusqu'à la fin du collège.** La discrimination à l'école du fait de l'habillement (« s'habiller avec des marques », par exemple) est à l'origine de mal-être, de racket, de consumérisme individualiste. De plus, l'habillement permet parfois de contourner les règles de la laïcité.

– **Commencer dès la maternelle à enseigner les rudiments de la laïcité.**

– **Créer une Journée de la tolérance à l'école ; notamment en créant des ateliers de simulation du handicap.**

– Reconnaître et développer le **potentiel citoyen** des jeunes : développer leur motivation, leur sens des responsabilités, leur autonomie et leur capacité à s'intégrer à un collectif de travail.

– Systématiser la **collaboration entre les élèves** pour l'apprentissage de l'altérité, de l'écoute et de la co-construction.

– Au collège et au lycée, **doubler le nombre d'heures d'enseignement moral et civique**, actuellement délivré au rythme d'une heure tous les quinze jours. Au programme de cette matière pourraient être ajoutés des sujets tels que la connaissance et la tolérance vis-à-vis du handicap.

– **Ajouter au baccalauréat une épreuve sur les bases de la citoyenneté.** La Déclaration de droits de l'homme et du citoyen du 26 août 1789, ou encore le fonctionnement des institutions de la République, doivent absolument faire partie des connaissances exigées des bacheliers.

AXE 2 : FAIRE VIVRE LES ATTRIBUTS DE LA CITOYENNETÉ

– Accompagner l'impôt sur le revenu d'un document indiquant ce qu'il permet de financer, rappelant la diversité des services publics gratuits ou relativement accessibles en France, alors qu'ils sont un luxe dans d'autres pays développés.
– Développer des rites républicains tels que la remise solennelle de la première carte d'électeur.

AXE 3 : LUTTER CONTRE TOUTE FORME DE DISCRIMINATION
(LIÉE À LA RELIGION, À L'ÂGE, AU SEXE, À L'ORIGINE,
AU DOMICILE)

– Adopter une Charte de la laïcité.
– À l'école, enseigner le fait religieux.
– Rappeler l'exigence de mixité dans les lieux publics, notamment les équipements publics sportifs.
– Réaffirmer la laïcité par une mesure symbolique de calendrier. Ne garder communs que les jours fériés laïques ou profondément ancrés dans la tradition laïque (1er janvier, 1er mai, 8 mai, 14 juillet, 11 novembre et 25 décembre). Les autres jours fériés dont les noms conservent une connotation religieuse (la Toussaint, Pâques, l'Ascension, la Pentecôte, l'Assomption) doivent pouvoir être remplacés individuellement par d'autres fêtes religieuses (Kippour, l'Aïd, l'anniversaire du dalaï-lama) ou laïques.
– Prendre en compte les exigences religieuses en matière alimentaire. Des repas végétariens doivent être proposés dans le cadre de la restauration collective (établissements scolaires, pénitentiaires, hospitaliers, d'entreprise).
– Obliger, dans les lieux de culte, à prêcher en langue française.

– **Créer des espaces de mixité par l'âge**, notamment en installant des résidences étudiantes à proximité des établissements pour personnes âgées pour favoriser des liens intergénérationnels : garde d'enfants, bricolage, activités récréatives et culturelles, ou autres formes d'entraide.

3

La culture :
pierre angulaire d'une société démocratique

« La culture ne s'hérite pas, elle se conquiert. »
« Hommage à la Grèce », André Malraux,
discours prononcé le 28 mai 1959 à Athènes

Rien ne dépeint mieux la France que sa culture et la place que les artistes y occupent, vivants ou disparus, dans leurs lieux de création, salles de spectacles ou musées. La diplomatie culturelle est un outil d'influence dont la puissance de projection et le réseau de relais mondiaux font pâlir d'envie la plupart des autres pays. La chanson française est par exemple l'une de celles qui s'exportent le mieux au monde, et pas seulement dans les pays francophones. Il en va de même pour le cinéma et la littérature.

La place qu'occupe la culture dans notre société a toujours constitué le reflet de celle que nous y accordions à l'Homme. Parce qu'elle véhicule valeurs et savoirs, elle constitue un ciment structurel sur lequel se fonde notre nation. Elle incarne tout à la fois notre identité, nos racines et notre avenir. Elle participe à la construction de l'histoire nationale et lui offre un sens de lecture. Elle doit se nourrir de la diversité des cultures des Français. Sa promotion, sa valorisation doivent être au cœur du projet politique de notre pays.

Des actions à large portée ont tenté d'ouvrir l'accès à la culture : prix unique du livre, fête de la musique, tarif réduit des musées pour les moins de 26 ans. Mais, ramenés au seul statut d'intermittents, les artistes ont peu à peu perdu leur rôle fédérateur et inspirateur et ils sont absents du débat public depuis trop longtemps.

Triomphe du tout-économique oblige, il est à la mode, aujourd'hui, de n'envisager la culture que sous l'angle de ce qu'elle rapporte du point de vue financier. Ou encore de n'appréhender le patrimoine que sous le prisme de l'attrait touristique qu'il revêt. De plus en plus réduite à une simple variable économique, la culture ne peut pourtant se concevoir comme un simple secteur économique parmi d'autres, même si sa valeur économique est évidente (57,8 milliards d'euros de valeur ajoutée, 3,2 % du PIB).

En temps de crise, l'un des premiers postes budgétaires sacrifiés par l'État et les collectivités locales est bien celui de la culture. Aujourd'hui, l'ensemble du dispositif de soutien de l'État à la culture s'établit à environ 12,9 milliards d'euros (projet de loi de finance 2015), soit 3,6 % du budget de l'État et 0,6 % du PIB en 2014. Pour atteindre 1 % du PIB, il faudrait que la dépense de l'État s'établisse à 22 milliards d'euros. Si l'on prend en compte les dépenses des collectivités locales pour la culture, soit 7,5 milliards d'euros, on atteint 0,9 % du PIB.

Un tiers du budget du ministère de la Culture et de la Communication est consacré au financement de 70 opérateurs culturels, dont cinq d'entre eux, d'une qualité mondialement reconnue (BnF, Universcience, Opéra national de Paris, musée du Louvre, Centre Pompidou), en captent la moitié.

Paradoxalement, l'accès à la culture n'a jamais été aussi aisé. La fréquentation des musées de France est passée de 45 millions de visiteurs en 2004 à 63 millions en 2013. Les salles de cinéma n'ont jamais été aussi remplies et la fréquentation des théâtres privés est repartie à la hausse depuis 2013 tandis que celle des théâtres publics demeure stable. Grâce au numérique, une grande partie des œuvres de l'esprit sont, littéralement, à portée de doigts. Pourtant, aujourd'hui encore, un tiers des Français n'est jamais entré dans un musée. Seuls 15 % de nos concitoyens ont assisté à un concert dans les douze derniers mois. La culture reste trop souvent l'apanage des catégories socioprofessionnelles les plus favorisées. Si l'aménagement culturel a progressé, il reste encore trop de déserts culturels. Inégalités culturelles entre villes et zones rurales, inégalités culturelles entre territoires, il reste encore beaucoup à faire. Cette situation nourrit un sentiment de relégation de la part d'une France périphérique, qui nourrit le populisme.

Si la vie culturelle française reste extrêmement vivante, et s'il y a en France plus de créateurs que jamais, notre pays n'est plus le premier lieu d'attraction des artistes du monde et la politique culturelle française d'aujourd'hui, conduite par la gauche ou la droite, n'en est plus le support.

Aujourd'hui n° 14 d'un gouvernement composé de 18 ministres, la position du ministère de la Culture traduit le désintérêt croissant du politique pour la question culturelle.

De ces constats, quatre enjeux se distinguent.

Un enjeu social, d'abord. La culture participe de la cohésion et de l'animation de la société. Elle en constitue tout à la fois son âme et sa colonne vertébrale. Elle permet des moments de partage collectif qui rythment la vie d'une société. Elle peut être aussi discriminante socialement – d'où l'importance de la démocratiser et d'en faire un ciment social.

Un enjeu d'identité, ensuite. Face à une société française divisée, la culture doit de nouveau constituer ce ciment qui participe à la définition de notre identité. Un ciment pluri-culturel et ouvert aux cultures de France et aux cultures du monde.

Un enjeu économique, aussi. La culture constitue un secteur stratégique pour l'économie française, par ses spécificités et son rôle moteur dans l'avenir de l'économie de la connaissance, par sa puissance d'exportation aussi.

Un enjeu diplomatique, enfin. Notre exception culturelle a toujours joué un rôle déterminant. Cela passe en particulier par une politique réaliste et concrète en faveur de la francophonie, totalement négligée par tous les pouvoirs successifs.

Pour répondre à ces quatre enjeux, France 2022 formule les propositions suivantes.

PROPOSITIONS

AXE 1 : REVALORISER LA PLACE DE LA CULTURE DANS LA SOCIÉTÉ

— Replacer le ministère de la Culture parmi les premiers dans l'ordre protocolaire.
— Mettre au premier rang dans les écoles l'éducation artistique de tous, y compris l'enseignement de l'histoire de l'art.
— Créer, à l'intérieur du service civique, un service civique culturel pour qu'au moins 20 000 jeunes puissent chaque année réaliser un projet culturel ou intégrer une structure à vocation culturelle.
— Créer un établissement public à vocation culturelle dans toutes les communes d'au moins 5 000 habitants. Cet établissement public serait en particulier ouvert à la création artistique ; les fonds des différentes structures culturelles nationales et locales seront mis à disposition de ces nouvelles structures.
— Permettre, voire imposer l'ouverture des établissements culturels publics et privés (musées, bibliothèques, médiathèques, théâtres, etc.) 7 jours sur 7 et en soirée. Cette mesure doit être également offerte aux établissements privés à vocation culturelle (musées, librairies, etc.). Des dérogations doivent être dispensées

pour permettre l'ouverture de ces lieux toute la semaine et en soirée, à l'image de ce qui est fait pour les cinémas ou les théâtres.

AXE 2 : LA CULTURE, UN ENJEU D'IDENTITÉ

– Faire de l'apprentissage du français par les Français une priorité. Selon l'Insee, 7 % de la population française est considérée comme illettrée, soit 2,5 millions de personnes ; entre 1 à 2 % des Français sont considérés comme analphabètes.
  • Intégrer cet objectif dans les cahiers des charges des sociétés de l'audiovisuel public, voire y dédier une chaîne/un canal.
  • Créer des centres régionaux d'apprentissage du français tout au long de la vie. Ces centres pourraient être placés sous la tutelle de l'Alliance française.
– Valoriser la culture et l'identité française et francophone.
  • Transformer le baccalauréat français en baccalauréat francophone.
  • Créer une carte de séjour de talents francophones pour favoriser la circulation des artistes francophones.
– Repenser l'organisation et les objectifs de l'audiovisuel public français.
  • Rendre le pouvoir de nomination de la présidence de France Télévisions et Radio France à leurs conseils d'administration.
  • Soumettre les rapports du Conseil supérieur de l'audiovisuel à un débat au Parlement pouvant aboutir à des sanctions budgétaires si le cahier des charges n'a pas été respecté.
– Repenser la participation des publics à la vie culturelle du pays, par la mise en place d'un « 1 % participatif ». Le financement participatif de la culture permet de réactiver le sentiment d'appartenance à une communauté. Il constitue une opportunité

pour le renouvellement des modes de financement de la culture et permet de réimpliquer chacun dans le processus culturel. En 2014, plus de 152 millions d'euros ont été collectés en France sur des plateformes de *crowdfunding*. En trois mois, le Louvre a réussi à collecter plus de 1 million d'euros *via* le financement participatif pour financer la restauration de la *Victoire de Samothrace* en 2013. Les institutions culturelles publiques auront pour objectif qu'*a minima* 1 % du budget d'une production culturelle soit financé par des dons hors mécénat.

AXE 3 : LA CULTURE, UN ENJEU ÉCONOMIQUE

– **Faire de la France un territoire créatif de dimension mondiale.** La spécificité économique du secteur et ses externalités positives justifient de maintenir l'actuel crédit d'impôt utilisé pour le cinéma et les autres arts de l'image, et de le rendre le plus compétitif possible, pour relocaliser des entreprises et créer de nombreux emplois.

AXE 4 : LA CULTURE, UN ENJEU D'INFLUENCE

– Définir une politique avec les GAFA[1] protégeant la propriété des œuvres des artistes de toute nature.
– Favoriser la création d'écoles maternelles et primaires francophones publiques et privées dans le monde entier, en particulier dans les pays francophones.
– Développer l'offre d'apprentissage du français professionnel au sein des Instituts français, des Alliances françaises et des groupes français privés dans les pays émergents.
– **Favoriser la formation de professeurs de français** dans le monde entier.

---

1. Google, Apple, Facebook, Amazon.

– Développer un programme ambitieux d'enseignement en ligne en français.

– Inciter à construire des salles de cinéma dans les pays « francophiles » en contrepartie de la diffusion de films franco-phones.

– Valoriser les divers festivals francophones.

– Introduire dans la directive SMAD[1] des quotas de diffusion d'œuvres européennes et nationales sur les plateformes numé-riques.

– Faire de la numérisation du patrimoine européen une prio-rité de la politique menée par la Commission.

– Valoriser et attirer toutes les vocations artistiques, venues de tous milieux, de tous quartiers, de tous pays.

---

1. Services de médias audiovisuels.

4

La sécurité :
se donner les moyens
d'assurer la sécurité de tous

« Qui néglige de punir le mal le cautionne. »
Léonard de Vinci

Les événements tragiques ayant ouvert et clôturé l'année 2015 ont rappelé qu'on ne peut plus distinguer les menaces intérieures des menaces extérieures, la prévention de la délinquance et de la radicalisation de la répression de la criminalité organisée et du terrorisme. Des individus isolés, capables de mettre en œuvre des moyens de destruction simples et redoutablement efficaces, ont fait autant de mal que des réseaux structurés et dotés de lourdes logistiques. Bien d'autres peuvent faire bien pire avec des moyens autrement plus massifs et professionnels.

Les appareils de sécurité occidentaux sont historiquement fondés sur quelques grands principes : la distinction entre sécurité intérieure et sécurité extérieure ; l'engagement de la justice et de la police contre les organisations criminelles et mafieuses ; l'engagement des armées dans la défense du pays et la protection de ses intérêts fondamentaux.

Le djihadisme international présente des caractéristiques politiques, opérationnelles et juridiques hybrides qui le placent à la fois dans la catégorie des menaces criminelles intérieures et dans celle des menaces extérieures armées.

Le contre-terrorisme implique de coordonner l'action des différents ministères au profit d'une même stratégie. L'État dispose en son sein tout à la fois des informations, des compétences, des forces (militaires et policières) et des lois pour lui permettre de faire obstacle au développement du terrorisme international tant sur son territoire qu'à l'extérieur de celui-ci. L'enjeu est de mobiliser l'ensemble des ressources de l'État pour que les grandes fonctions de l'action gouvernementale – détection et analyse de la menace, identification des groupes et individus, instruction et « opérationnalisation » du dossier, élaboration et choix des politiques publiques et des actions – bénéficient de toutes les informations, analyses et expertises disponibles au sein du gouvernement.

Cette coopération, à l'œuvre dans le domaine du crime organisé et du trafic de drogue, permettrait d'identifier l'émergence des menaces qui restent invisibles pour des agences cloisonnées dans leurs domaines techniques (finances, trafics, menaces militaires, menaces politiques...). Une fois les menaces détectées, des actions sont élaborées puis confrontées à l'avis des diplomates et des juristes sur leur faisabilité et leur pertinence et, une fois validées par l'ensemble des ministères concernés, proposées à l'autorité politique. Ce mécanisme de coopération, qui peut sembler trivial, se met lentement en place, nécessité faisant loi, mais reste pourtant difficile à élargir aujourd'hui hors de la métropole ou des théâtres d'opération déjà « ouverts » (Sahel, Afghanistan). La difficulté vient d'une culture des administrations, travaillant en autonomie les unes par rapport aux autres, coopérant au cas par cas, et seulement lorsque cela est expressément requis.

En dehors du terrorisme, les autres dimensions de la sécurité des personnes restent une grande priorité. Si on compare le taux d'homicide volontaire par an pour 100 000 habitants, la France (1,0) est très loin derrière les États-Unis (4,2), la Belgique

(1,7) ou le Royaume-Uni, mais devant l'Allemagne (0,8). Cela s'explique par la qualité des personnels et de leur encadrement, leurs compétences et leur dévouement.

Même si les chiffres montrent que les violences aux personnes sont en légère diminution, une société de confiance ne peut pas davantage accepter les attaques aux biens que les agressions aux personnes. Le sentiment d'insécurité reste réel et la sécurité est un sujet de préoccupation. La petite délinquance est devenue majeure, structurée et armée ; elle martyrise parfois les populations.

Par ailleurs, le sentiment d'insécurité des femmes dans l'espace public, et notamment dans les villes, est également un véritable sujet. Pourtant, les pouvoirs publics n'y prêtent qu'une faible attention. Pire, les femmes sont parfois pointées du doigt comme responsables des incivilités à leur encontre. Comment expliquer que, dans une ville comme New York, une femme se sente bien davantage libre de se promener à n'importe quelle heure de la nuit que dans une ville française ?

L'insécurité est aussi forte dans d'autres domaines : la sécurité routière, avec un objectif qui semble inatteignable d'un mort par semaine par département ; la sécurité civile, avec la multiplication des zones industrielles dangereuses et la mémoire d'accidents type AZF ; la prise de conscience des risques des centrales nucléaires depuis Fukushima, et la vulnérabilité révélée de nombreuses zones exposées aux aléas climatiques comme dans le cas de La Faute-sur-Mer.

Pour y répondre, depuis les années 1960, le ministère de l'Intérieur reposait sur un modèle d'organisation unique en Europe : il regroupait tout à la fois la police, l'administration déconcentrée de l'État – les préfectures et la gestion du corps préfectoral – et les collectivités locales, alors que presque tous les autres pays de l'Union séparaient leur police des autres attributions.

Le ministre était appuyé par trois directeurs généraux : le directeur général de l'administration, *primus inter pares*, gestionnaire du corps préfectoral ; le directeur général de la police, qui pilotait les différentes directions des services de police, traditionnellement un préfet ; le directeur général des collectivités locales. Il faut ajouter à ce descriptif du passé le préfet de police, qui a toujours tenu une place spécifique mais limitée, alors, à Paris intra-muros.

Cette organisation traditionnelle a considérablement changé dans les années 2000, si bien que la pertinence d'un ministère de l'Intérieur présent sur trois fronts (la sécurité, les collectivités locales et la préfectorale) n'existe plus. De plus, le rattachement de la gendarmerie – précédemment rattachée au ministère de la Défense – au ministère de l'Intérieur, devenu définitif en 2009, a bouleversé cet équilibre historique entre les trois pôles. À des effectifs d'environ 145 000 policiers se sont ajoutés 95 000 gendarmes, soit un total d'environ 240 000 fonctionnaires affectés exclusivement à la mission « sécurité ». Les effectifs des forces de l'ordre représentent 88 % du total des agents du ministère[1].

À ce mécanisme structurant s'est ajoutée l'attribution au ministère de l'Intérieur en 2011 de l'administration de l'immigration, constituée à partir de 2007 d'un ensemble de services autrefois éclatés provenant des Affaires sociales, du Quai d'Orsay et du ministère de l'Intérieur. En sens inverse, la direction générale des collectivités locales du ministère – même si le ministre de l'Intérieur conserve formellement une cotutelle – s'en détache progressivement, puisque depuis 1995 elle dépend de deux autres ministres.

Ce mouvement a amené à une marginalisation progressive du corps préfectoral au sein de son propre ministère, les questions d'administration territoriale devenant une préoccupation

---

1. Environ 6 000 agents travaillent en administration centrale ; 28 000 en administration territoriale ; 3 000 pour la sécurité civile.

secondaire par rapport aux questions de sécurité. Les postes des directions de la police et de la gendarmerie ont été attribués directement à des policiers ou des gendarmes, et non plus à des préfets. Le recrutement dans le corps a également changé avec l'arrivée de nombreux policiers et des nominations de personnes issues de la société civile. Cet affaiblissement n'a pas été immédiatement visible, du fait que de nombreux préfets exerçaient des fonctions de directeur de cabinet d'un ministre sous la législature 2007-2012.

Dans le même sens, le secrétariat général du gouvernement s'est vu confier en 2008 la tutelle de la plupart des directions départementales de l'État, transformées en directions départementales interministérielles (DDI). La pression n'en est que plus grande en faveur d'un rattachement des préfets à Matignon, le ministère de l'Intérieur ayant perdu à cette occasion son rôle dans la réforme des services déconcentrés.

Une autre évolution institutionnelle de cette période a été, à Paris, la plus grande place prise par le préfet de police, dont les compétences se sont élargies à la petite couronne, marquant ainsi encore plus la dyarchie de la police entre le directeur général de la police nationale et le préfet de police.

Enfin, ce tableau des transformations des années 2000 ne serait pas complet si l'on occultait la remise en cause de la police de proximité, qui a gravement affecté la doctrine même d'emploi des forces de l'ordre. La police de proximité prévenait efficacement la petite et la moyenne délinquance ; elle pouvait assurer un suivi et une aide aux victimes ; elle permettait la remontée des attentes de la population ; elle permettait de ressentir le degré de sentiment d'insécurité, et son éventuel écart avec l'insécurité réelle ; elle n'intervenait que lorsque la prévention et la dissuasion avaient échoué.

Depuis sa disparition, la police s'est muée en une police dite d'« intervention ». Moins coûteuse en effectifs, cette nouvelle doctrine a permis les suppressions d'emplois massives à la fin de la législature précédente.

Le président et le gouvernement arrivés au pouvoir en 2012 n'ont pourtant pas remis en cause ce modèle ni pensé à rétablir la police de proximité. La gendarmerie et l'immigration sont restés dans le périmètre du ministère ; la doctrine d'emploi d'une police avant tout d'intervention n'a pas été contestée. Les effectifs, malgré les annonces du président et des ministres, n'ont pas augmenté, et ont même légèrement diminué. Par exemple, les compagnies de CRS ont perdu le quart de leur effectif. En l'état du dispositif, il serait très difficile de faire face simultanément à des émeutes urbaines dans plus de deux agglomérations.

Ces dernières années ont vu s'accélérer le basculement sécuritaire du ministère de l'Intérieur. Il est devenu le ministère de la Sécurité intérieure.

Alors que la gendarmerie s'est renforcée, la police s'est fractionnée. La direction centrale du renseignement intérieur (DCRI), dépendant précédemment de la direction générale de la police nationale (DGPN), est devenue une direction générale directement rattachée au ministre. Parallèlement, le préfet de police a obtenu de regrouper dans une seule structure – le secrétariat général pour l'administration de la police – les effectifs dépendant de lui, c'est-à-dire 25 % de la police. Le directeur général de la police nationale est ainsi considérablement affaibli.

Le renseignement intérieur a été bouleversé à partir de juillet 2008 par une réforme réunissant la direction centrale des renseignements généraux (DCRG) et la direction de la surveillance du territoire (DST).

Les RG, créés en 1907, traitaient au plan national du renseignement social et politique ; le maillage et la qualité d'analyse du renseignement permettaient à ce service de plus de 3 000 policiers de tâter le pouls de la nation au niveau politique et social ; une activité antiterroriste s'y était par ailleurs développée ; la DST, créée en 1934, traitait pour sa part des intrusions extérieures menaçant la sécurité intérieure ; après la guerre froide, elle s'était reconvertie dans l'antiterrorisme et l'espionnage industriel ; ses effectifs ont crû de manière sensible après le 11 septembre 2001, passant de 1 000 à environ 1 800 fonctionnaires avant la fusion de 2008.

En 2009, la DCRI comptait plus de 3 000 fonctionnaires ; son effectif était composé de l'ensemble des personnes de la DST et environ la moitié des effectifs des RG. Le reste des personnels travaillant à une mission de renseignement se retrouvait dans la sous-direction de l'information générale (SDIG) de la direction centrale de sécurité publique (DCSP) dépendant du DGPN et comptant près de 2 000 fonctionnaires. L'orientation prise était de donner une priorité à un renseignement très spécialisé plutôt qu'à un renseignement généraliste laissé à charge de la sécurité publique. Évidemment, outre la frustration des personnels, partagés entre experts et généralistes, la coordination des deux services ne s'est pas réalisée et cela a été particulièrement remarqué lors de l'affaire Merah au début de l'année 2012.

Le gouvernement actuel n'a, là non plus, en rien modifié la philosophie globale qui avait prévalu lors de la réforme de 2008. Il l'a au contraire prolongée en autonomisant la DCRI en 2013, devenue direction générale de la sécurité intérieure (DGSI), la SDIG changeant de nom et devenant le service central du renseignement territorial (SCRT). La direction générale de la gendarmerie nationale s'est dotée à cette même période d'une sous-direction du renseignement territorial, tout en renforçant ses effectifs présents dans le SCRT pour donner des gages à la police.

Malgré les différents mouvements de fusion, l'étanchéité des services reste préoccupante. Si l'Uclat (unité de coordination et de lutte antiterroriste) est censée regrouper l'ensemble du renseignement pour une meilleure coordination des services, chaque service collabore *a minima*.

Il aurait fallu mailler davantage le territoire et multiplier le renseignement en milieu ouvert, c'est-à-dire partir d'un important réseau de renseignement généraliste et améliorer l'analyse de ce renseignement. La DCRI puis la DGSI ont au contraire spécialisé leur potentiel sur des cibles devenues trop nombreuses. Avec seulement 3 500 agents, la tâche est impossible. La récente loi sur le renseignement n'a rien bouleversé. Elle a largement acté dans le droit des pratiques déjà existantes.

Il faut cesser de croire qu'en matière de terrorisme, c'est le renseignement, les écoutes, les balises administratives, les sonorisations, qui permettent à eux seuls d'empêcher un attentat terroriste. Une information n'est malheureusement pas une preuve, et on ne peut mettre quelqu'un hors d'état d'agir en l'emprisonnant, par exemple, sur la base de simples renseignements. Le renseignement doit être, pour être efficace, beaucoup plus tôt confié aux autorités judiciaires pour action.

Dans ce contexte, les fonctionnaires de police, dont le dévouement et la compétence ne sont pas à remettre en cause, sont dans le désarroi. La réduction des entraînements et la soumission au cadre strict de la légitime défense mettent les forces de l'ordre dans des situations de réel danger.

Sur la base de ces constats, le prochain président devra répondre à trois questions : quel périmètre pour le ministère de l'Intérieur ? Quelle doctrine d'emploi du renseignement ? Quelle doctrine d'emploi de la sécurité publique ?

France 2022 propose de répondre à ces questions de la manière suivante.

Propositions

AXE 1 : UN MINISTÈRE EXCLUSIVEMENT CONSACRÉ À LA SÉCURITÉ

– **Faire du ministère de l'Intérieur un ministère exclusivement dédié à la sécurité** : ministère de la Sécurité intérieure.
– **Rattacher les préfectures** et la gestion du corps préfectoral **au secrétariat général du gouvernement**, comme le sont les directions départementales interministérielles. Le pouvoir de nomination pouvant rester partagé entre ministre de l'Intérieur et Premier ministre, sous l'autorité du président de la République.

AXE 2 : ADAPTER LA DOCTRINE DU RENSEIGNEMENT À LA NATURE DE LA MENACE

– **Redonner aux RG une existence opérationnelle.**
– Qu'il y ait ou pas augmentation des effectifs, **créer une autorité unique en matière de renseignement au sein du ministère de l'Intérieur.**
– **Remettre la DGSI sous l'autorité du DGPN.**
– **« Judiciariser » le renseignement.** Le transfert au judiciaire doit impérativement arriver plus tôt, pour ne pas perdre des preuves en cours de route et aboutir à des situations absurdes dans lesquelles l'opinion publique réalise avec stupeur que des participants à une opération terroriste étaient tous ou presque fichés et surveillés.
– **Adapter la doctrine du renseignement aux nouvelles menaces** : les effectifs doivent être augmentés et le renseignement doit être armé d'un « service d'observation terrain ». Augmenter les effectifs du renseignement territorial et en faire un vrai « service d'observation terrain ».
– **Améliorer le renseignement pénitentiaire en l'intégrant à la communauté de renseignement.**

AXE 3 : ASSUMER UNE DOCTRINE D'EMPLOI
DE LA SÉCURITÉ PUBLIQUE ALLIANT PROXIMITÉ ET INTERVENTION

– Recréer une police de proximité dans des zones de sécurité prioritaires. Une police de proximité, insérée dans la cité, est plus efficace qu'une police d'intervention, même si elle est à l'évidence plus coûteuse. Il ne s'agit pas de recréer à l'identique la police de proximité de la fin des années 1990. Il est nécessaire de la repenser pour désamorcer les critiques qu'elle a pu essuyer, notamment sur la polyvalence des policiers, à la fois en situation d'empathie et de sanction, ou encore sur les risques quant à leur propre sécurité.

– Augmenter la capacité, aujourd'hui limitée, des écoles de police et de gendarmerie.

– Les services administratifs supports (comptabilité, ressources humaines, gestion du parc immobilier, etc.) doivent être mutualisés entre la police et la gendarmerie afin d'augmenter leur efficacité et de dégager des marges de manœuvre budgétaire.

– Valoriser les métiers des forces de l'ordre. Faire en sorte que celles et ceux qui ont choisi cette voie se sentent motivés, encouragés et non délaissés. Le ministère de l'Intérieur et plus généralement le gouvernement doivent communiquer sur les actes héroïques et les valeurs de courage et de don de soi des forces de l'ordre.

– Améliorer la gestion des affectations des forces de l'ordre. Les jeunes policiers sont affectés dans les zones les plus difficiles d'Île-de-France, alors que ce sont les moins expérimentés. Il faut rompre avec cette logique et affecter les effectifs sur le territoire en prenant en considération l'expérience du terrain des agents.

– Créer au ministère de l'Intérieur une instance de réflexion et de prospective sur la doctrine d'emploi des forces de l'ordre et la politique de sécurité. À chaque décennie, les menaces sécuritaires changent. Le ministère de l'Intérieur n'est aujourd'hui pas doté d'un vrai centre de recherche et de prospective.

– **Légaliser le cannabis, pour des raisons de sécurité.** Légaliser le cannabis ferait sortir tout ce pan d'insécurité qui alimente la délinquance dans les quartiers. Sa légalisation ne représente pas un danger, et aurait pour effet de réduire substantiellement les réseaux de trafic de stupéfiants. Légaliser n'est pas cautionner : la consommation du cannabis est très dangereuse pour la santé physique et mentale. Au contraire. C'est contrôler. Éviter que des dealers harcèlent et traumatisent des jeunes tombés malgré eux dans ce poison. Éviter que des jeunes pensent que c'est par le deal qu'ils pourront se faire de l'argent rapidement et massivement. Éviter que les produits vendus, sans que leur qualité soit contrôlée, empoisonnent encore davantage les consommateurs.

– **Imposer dans les auto-écoles un stage de sensibilisation à la consommation excessive d'alcool.**

5

La justice :
efficace, impartiale et lisible

« La justice sans la force est impuissante ;
la force sans la justice est tyrannique. »
Blaise Pascal, *Pensées*

La justice ne fait irruption dans la vie de chacun qu'à l'occasion d'un moment difficile : financier, professionnel, familial ou, plus grave, pour une question liée à la liberté, à la sécurité des biens ou des personnes. Elle est donc perçue comme complexe, longue et coûteuse. Cette perception recouvre une part de réalité : le service public de la justice est dégradé, la justice est rendue dans des conditions indignes des missions qui lui sont confiées. De l'accueil physique ou téléphonique des justiciables aux conditions de travail des magistrats et des avocats, tout témoigne de l'extrême pauvreté de notre institution judiciaire.

Les décisions de la justice sont parfois incompréhensibles, notamment du fait de la divergence entre des jugements rendus dans des dossiers apparemment identiques. Les justiciables se plaignent des difficultés de s'expliquer devant le juge, et de décisions inintelligibles, trop complexes à mettre en œuvre. La motivation des jugements est parfois trop laconique, répondant mal à l'argumentation soutenue par les parties. Les avocats, dans leur rôle d'interface entre les magistrats et les justiciables, ont une part de responsabilité dans l'insuffisante compréhension du fonctionnement judiciaire.

Les citoyens ne connaissent pas toujours les voies de recours possibles et sont découragés avant d'entreprendre des démarches pour régler un différend.

En matière pénale, l'image de la justice n'est pas exempte non plus d'un soupçon de partialité. Ce soupçon pèse notamment sur le Garde des Sceaux, quel qu'il soit, et sur les magistrats du siège et du parquet. Ce soupçon de partialité résulte pour partie du déséquilibre en matière de communication sur certains dossiers : les conférences de presse des procureurs de la République constituent un progrès indéniable de pédagogie de la justice, mais elles devraient être balancées par les observations de la défense. En revanche, la communication des juges d'instruction, qui devraient veiller à l'impartialité de leurs travaux, fait au contraire preuve trop souvent de partialité en rendant public tel ou tel aspect de leurs dossiers.

La justice a vécu des bouleversements tels ces trente dernières années qu'elle est étourdie par une perte de repères. Le droit – la matière première de la justice – s'est considérablement complexifié depuis trente ans, sous l'action conjuguée de la diversification des sources de normes (droit européen notamment) et de l'action du législateur national, qui n'a pas hésité, au gré des exigences de l'actualité, à empiler, de manière versatile, des textes de qualité juridique parfois discutable – notamment en matière pénale. Ce phénomène est à l'origine d'une forte insécurité juridique. Des réformes de procédure ont également affecté la cohérence et la lisibilité de la justice.

Des efforts de modernisation ont été entrepris, inspirés par des méthodes managériales, pour tenter de suivre, à moindre coût, un rythme qui s'accélère sans cesse. Ces efforts ne se sont pas accompagnés de la mise en place d'indicateurs permettant de mesurer véritablement la qualité – et, en fin de compte, ne satisfont ni les juges ni les justiciables.

Les autres modes de règlement des différends demeurent trop peu développés malgré une volonté affichée d'en faire un levier de désengorgement des tribunaux. À défaut de les promouvoir concrètement, le contentieux reste la voie obligée de résolution des conflits, alors que les justiciables dans leur majorité considèrent que le recours à la justice n'est pas toujours justifié.

En outre, l'institution judiciaire est l'un des services publics qui ont le moins bénéficié du potentiel du numérique pour la modernisation de leur action.

Malgré les turbulences que traverse la justice, le travail et le dévouement des magistrats et des personnels de greffes ont jusqu'à présent réussi à faire face à la marée qu'ont provoquée l'émergence de nouveaux contentieux (le contrôle des hospitalisations psychiatriques par exemple) et le très fort dynamisme de contentieux plus traditionnels (tels que celui des tutelles). Ils ont également réussi à composer avec la complexité procédurale croissante.

La justice se trouve, de plus, dans un état d'extrême pauvreté, indigne des missions dont elle a la charge. Son budget représente 1,9 % du budget, soit moins que la moyenne européenne (2,2 %), même s'il a un peu augmenté depuis 2012. En termes de budget par habitant et en pourcentage du PIB par habitant, la France se classe 37e sur 45 pays en Europe[1] (0,197 % pour une moyenne européenne de 0,33 %), loin derrière l'Allemagne et le Royaume-Uni. En valeur absolue, un Français verse 61,2 euros par an pour la justice, un Italien 77 euros, un Britannique 96 euros, un Allemand 114,3 euros, un Néerlandais 125 euros. Alors qu'on compte 10,7 juges pour 100 000 habitants en France, il y en a 24,7 en Allemagne et 21 en moyenne pour l'ensemble de l'Europe. En Europe de l'Ouest, la France

---

1. Europe élargie hors Union européenne (périmètre du Conseil de l'Europe).

bat, avec l'Italie, un record en matière de faiblesse du nombre des procureurs : 1 901 procureurs en France en 2012 (soit 2,9 pour 100 000 habitants), 1 900 en Italie (3,2 pour 100 000) – la moyenne européenne étant de 11,8 pour 100 000 citoyens !

L'efficacité de la justice pose aujourd'hui question. L'un des premiers critères de l'efficacité d'un système juridictionnel réside dans les délais de jugement. Si les délais ne doivent pas être trop courts sous peine de refléter une justice bâclée, voire expéditive, ils doivent toutefois respecter ce qu'on appelle, dans le jargon issu de la Convention européenne des droits de l'homme et de son article 6 § 1, un « délai raisonnable ».

En matière civile, la France se situe en Europe parmi les bons élèves : 2 575 nouvelles affaires se présentent tous les ans, 2 555 sont jugées. Cependant, le temps de traitement des litiges en matière civile dépasse 300 jours (311 jours), bien au-dessus de la moyenne européenne (246 jours).

En matière pénale, la France affiche un bon taux de résorption des affaires (101,9 %). Le taux est particulièrement bon en ce qui concerne les infractions graves (106,5 %). Il se dégrade lorsqu'on considère les petites infractions, qui représentent environ 45 % des nouvelles affaires. Le contentieux de la circulation routière représente, en moyenne, entre 30 et 40 % de l'activité pénale des juridictions et 34 % des infractions sanctionnées en 2011 au plan national. Le délai de traitement d'une affaire pénale est en moyenne de neuf mois. Ce délai est toutefois une moyenne qui ne reflète qu'imparfaitement une réalité beaucoup plus disparate. En cas de comparution immédiate : 50 % de ces affaires sont traitées en deux jours et 70 % sont traitées en trois jours. S'agissant de la procédure pénale dite « rapide » (*i.e.* les ordonnances pénales, les comparutions sur reconnaissance préalable de culpabilité, les convocations par procès-verbal du procureur et les convocations par officier de police judiciaire) : 50 % de ces affaires sont jugées en moins de six mois. Enfin, pour la procédure pénale dite « longue », mise en œuvre pour les affaires plus complexes exigeant des investigations approfondies, le délai de traitement se situe autour de trois ans et huit mois.

Surtout, nuit à l'efficacité de la justice française la tendance de ces dernières années à l'élargissement du périmètre d'intervention des magistrats du siège et du parquet à des tâches qui ne relèvent pas de leur fonction. Ces tâches constituent une surcharge de travail importante qui affecte leur efficacité quand il s'agit de leur cœur de métier – trancher les litiges pour les juges et exercer l'action publique pour les procureurs –, jusqu'à la qualité des décisions et leur effort de pédagogie envers les justiciables.

Enfin, l'état des prisons est déplorable. Aujourd'hui, le parc pénitentiaire provient de deux héritages : des établissements anciens, correspondant pour l'essentiel aux maisons d'arrêt des villes moyennes ; la plupart sont de dimension modeste et très vétustes (y compris ceux construits à une période relativement récente, cf. la maison d'arrêt de Fleury-Mérogis, ouverte en 1968) ; et des établissements résultant des plans de construction successifs depuis la loi de 1987. Aujourd'hui on compte environ trente mille places (la moitié du parc) relativement convenables mais très concentrées, où les relations humaines sont beaucoup plus difficiles.

Le régime carcéral est très uniforme, y compris pour les prévenus et pour les petites peines. Les établissements pour peines consentent aux personnes incarcérées un peu plus d'autonomie que les maisons d'arrêt mais cette marge s'est réduite depuis trente ans. Le plus souvent, quel que soit son comportement, le détenu est pris en charge de la même manière du premier au dernier jour. Cette uniformité est renforcée par les règles internes et le comportement des personnels. Échappent à ce schéma les mesures de sortie organisées dans le cadre d'un aménagement de peine (libération conditionnelle, semi-liberté) et quelques rares établissements spécialisés, pour le meilleur ou le pire (centrales de Château-Thierry, Condé-sur-Sarthe, Vendin-le-Vieil ; centre de détention de Casabianda).

Enfin, un quart des personnes détenues souffrent de pathologies mentales graves, soit plus de seize mille personnes.

France 2022 souhaite une réforme de la justice fondée sur la restauration de sa place et de son autorité au sein de la société française. Cela suppose d'en faire un domaine d'action prioritaire. Cinq principes directeurs ont été dégagés pour redonner confiance aux citoyens en la justice : la proximité, la simplification, la clarté, la stabilité et la participation.

Pour y parvenir, France 2022 articule ses propositions autour de sept axes d'action.

PROPOSITIONS

AXE 1 : RENFORCER L'INDÉPENDANCE ET LA RESPONSABILITÉ DES MAGISTRATS

La volonté de renforcer l'indépendance des magistrats, en particulier ceux du parquet, doit s'accompagner d'une plus grande responsabilisation de ces derniers.

– **Confier au Conseil supérieur de la magistrature (CSM) le pouvoir de nomination et de discipline des magistrats du siège et du parquet.**
– **Transformer le CSM en un Conseil supérieur de la justice** comprenant de 18 à 22 membres composés de magistrats élus par leurs pairs et, en majorité, de personnalités compétentes désignées par le Parlement à la majorité des 3/5e. Son président sera élu par ses membres.
– **Créer un procureur général de la nation**, représentant et chef du ministère public, incarnant une autorité judiciaire forte et

indépendante. Il définira et dirigera la politique pénale et les procureurs généraux près les cours d'appel seront placés sous son autorité. Il présentera chaque année un rapport d'activité au Parlement. Un candidat pourra être proposé à ce poste par l'exécutif et sa désignation devra être approuvée par la majorité des 3/5ᵉ du Parlement. Autre garantie d'indépendance, il sera nommé pour une période de trois ans renouvelable une fois. Il sera irrévocable sauf par le Parlement à la même majorité et pour des motifs prévus par la loi (pour incompatibilité, en cas de maladie ou d'incapacité, ou pour manquement grave aux devoirs de sa charge).

– **Créer un Conseil National de la Politique Pénale**, auprès du Procureur général de la nation. Cet organisme représentatif (composé de magistrats, avocats, policiers et gendarmes désignés par le Parlement à une majorité des 3/5ᵉ) l'assistera dans l'élaboration de la politique pénale et veillera à sa mise en œuvre.

– **Renforcer les pouvoirs des cours d'appel en matière d'évaluation des magistrats**, en intégrant notamment des critères objectifs (taux d'infirmation et de confirmation des décisions, délais de traitement, etc.) et l'avis du bâtonnier compétent (qui pourra donner un avis sur la manière de servir des magistrats).

AXE 2 : MODERNISER L'ACTION DE LA JUSTICE

– **Généraliser la procédure de comparution sur reconnaissance préalable de culpabilité à l'ensemble des crimes et des délits.** À l'initiative du procureur, cette procédure devra recueillir l'accord du mis en cause, de son avocat, de la victime et de son avocat. L'accord, qui fixera la sanction et le montant des dommages et intérêts alloués, devra être homologué par un juge. Seules les procédures dans lesquelles le mis en cause conteste sa culpabilité feront l'objet d'un débat devant une juridiction.

– **Créer des audiences virtuelles dans les contentieux de masse ayant un faible enjeu financier.** Avec l'accord des parties et après examen des observations de leurs conseils, le juge statuera par ordonnance non motivée.

– **Donner à tous les justiciables la possibilité d'accéder par Internet au suivi des procédures qui les concernent** avec des identifiants personnalisés.

– **Permettre à tous les justiciables de saisir la juridiction par voie électronique** de toutes les instances qu'ils peuvent introduire par voie de requête ou de déclaration au greffe.

– **Permettre aux parties qui le souhaitent de recevoir avis et notifications procéduraux par voie électronique.**

AXE 3 : FAVORISER LES AUTRES MODES DE RÈGLEMENT
DES DIFFÉRENDS

– **Créer dans chaque juridiction un espace spécialement dédié** à cette pratique.

– **Permettre aux magistrats de désigner les avocats de leur ressort** pour régler amiablement des différends qui leur sont soumis.

– **Créer un diplôme d'État de médiateur**, pour rendre l'offre de médiation plus claire et plus visible et donner des garanties en matière de formation.

– **Promouvoir la culture de la médiation** dans les universités et à l'ENM.

– **Créer une plateforme de règlement en ligne des litiges** pour favoriser la résolution amiable des conflits.

– **Valoriser la conciliation aux yeux des juges** et les former à ses techniques.

– **Faire du développement des modes négociés** du règlement des litiges un objectif de performance qualitative assigné aux chefs de juridiction.

– Faire entrer dans le cadre de l'aide juridictionnelle les actes d'avocats effectués à l'occasion d'une résolution amiable des différends.

– Renforcer l'implication des avocats dans le processus judiciaire et leur collaboration avec les magistrats. Dans de nombreuses affaires civiles, le juge pourrait se contenter d'un rôle d'homologation d'actes élaborés par les avocats des parties.

AXE 4 : RECENTRER LES FONCTIONS DES MAGISTRATS
SUR LEUR CŒUR DE MÉTIER

L'objectif de cette proposition est de traiter le contentieux de masse en ayant recours à des mesures rapides afin de permettre aux magistrats de siéger en collégialité dans les procédures complexes et/ou contestées.

Pour les magistrats du siège :
– **Favoriser le traitement du contentieux par ordonnance contradictoire.** Le juge pourra proposer aux parties de statuer dans un délai de trois à six mois après sa saisine, sans audience après échange d'un seul jeu d'écritures.
– **Favoriser le traitement par comparution après reconnaissance préalable de culpabilité pour les crimes ou délits reconnus par leur auteur** (voir plus haut).
– Au civil comme au pénal, **limiter l'audience aux procédures faisant l'objet d'une contestation sérieuse.**
– **Rationaliser le traitement de certaines procédures civiles** (en matière de surendettement, en matière de tutelle des majeurs et des mineurs), et de certaines tâches de procédures civiles (fixation des pensions en cas de divorce, etc.).
– **Pour le surendettement, le rôle du juge doit se limiter à trancher la contestation,** non à établir un nouvel échéancier (travail devant relever de la commission de surendettement).

– Pour les tutelles, l'intervention du juge doit être ramenée aux décisions touchant aux intérêts essentiels de la personne protégée.
– Pour le divorce, reconnaître la possibilité d'une simple homologation judiciaire d'actes élaborés par les avocats des parties.
– Désigner un magistrat honoraire pour toute participation à une commission administrative.

Pour les magistrats du parquet :
– Recentrer l'activité du parquet sur l'exercice de l'action publique.
– Le parquet devra saisir davantage le juge pour qu'il prononce des **ordonnances pénales susceptibles de condamner à une peine d'emprisonnement et/ou à une amende pour certains délits routiers** (défaut de permis de conduire, défaut d'assurance et conduite sous l'empire de l'alcool pour les taux d'alcoolémie inférieurs à 0,8 milligramme d'alcool par litre d'air expiré, soit 210 000 infractions en 2011).
– **Recourir davantage à la transaction pénale par les administrations compétentes de l'État**, sous le contrôle du ministère public, et développer ce mécanisme pour le droit de l'urbanisme et de la construction, et créer un droit de transaction pénale au profit de l'administration fiscale, qui s'exercerait avec l'accord et sous le contrôle du parquet.
– Dans le champ de la prévention de la délinquance, concentrer les multiples instances partenariales qui font intervenir le préfet, les élus, les représentants des **administrations de l'État et le procureur de la République, et les placer sous la direction de ce dernier**.
– Adapter les effectifs de procureurs à leurs missions (recrutement de 200-250 procureurs supplémentaires).

AXE 5 : RÉTABLIR LA COHÉRENCE DES CODES ET DE LA PROCÉDURE ET LUTTER CONTRE L'INSTABILITÉ DE LA LOI PÉNALE

– Mettre en place une commission composée de magistrats et de personnalités qualifiées désignée par le Parlement à une majorité des 3/5ᵉ chargée de proposer dans les cinq ans une **refonte et une simplification de tous les codes de procédure à droit constant**, afin de supprimer les redondances et incohérences. Cette commission disposera d'un pouvoir de proposition auprès du Parlement.

– Dans ce travail, il sera nécessaire de porter une attention particulière à **l'intégration dans le droit interne**, trop souvent oubliée, **des évolutions liées à la jurisprudence de la Cour européenne des droits de l'homme.**

– Établir un **équilibre dans la procédure d'audience pénale** pour la rendre plus cohérente et plus lisible pour le justiciable. Il faut donc modifier le rôle du président d'audience, le plaçant dans une fonction d'arbitre de la décision, entre l'accusation et la défense, et renforcer le contradictoire. La neutralité du président sera ainsi renforcée, tout en conservant pour celui-ci la possibilité de poser des questions complémentaires afin d'être pleinement éclairé avant de pouvoir statuer.

AXE 6 : RÉTABLIR ET RENFORCER LE LIEN DE CONFIANCE ENTRE L'INSTITUTION JUDICIAIRE ET LA SOCIÉTÉ

– **Renforcer les cours dispensés aux niveaux primaire et secondaire sur le fonctionnement de la justice, et sur les droits des justiciables (et notamment sur les voies de recours).**

– En classe de troisième (classe qui a l'avantage d'être dans une période d'étude de tronc commun pour tous les élèves

de l'Éducation nationale), **tous les élèves devront assister à un procès et visiter une prison.**
– Développer la communication de l'institution judiciaire auprès du grand public en insistant sur le rôle de cette institution sur la protection des droits.
– Intégrer pour une plus grande partie de leur formation les magistrats en devenir aux autres étudiants en droit ou aux écoles de commerce.
– Éviter l'enfermement des magistrats au cours de leur carrière, et pour cela rendre obligatoires au moins **deux passages de deux années dans le secteur privé, des entreprises publiques, des ONG ou des institutions internationales.** Maintenir l'avancement pendant cette période de détachement.
– Renforcer la **formation continue des magistrats** par des périodes de formation longue aux enjeux économiques et sociaux.
– **Faciliter l'intégration dans la magistrature d'anciens avocats, cadres, entrepreneurs, paysans,** en ouvrant à des personnalités issues de la société civile les commissions chargées d'examiner les candidatures.

AXE 7 : RÉFORMER LE SYSTÈME CARCÉRAL

Réformer la prison suppose une forte pédagogie à l'égard d'une opinion souvent convaincue qu'elle est d'autant plus efficace qu'elle est privative de liberté. C'est inexact. La prison doit conduire ceux qui en sortent à ne pas récidiver. Pour cela, il convient de :

– **Réformer le parc de prisons existantes et revenir à des établissements de taille modeste et convenables.** À cette fin, et en fixant à 60 000 le nombre de places effectives nécessaires (si les alternatives à l'incarcération continuent de croître, y compris pour les malades mentaux, cf. ci-dessous), on doit :

• **Dégager les crédits de rénovation** pour mettre aux normes d'habitat décent les bâtiments anciens et remplacer nombre pour nombre ceux qui ne peuvent être rénovés.

• Inscrire chaque année en loi de finance des crédits de maintenance suffisants pour empêcher les établissements **récents de « mal vieillir »**.

• **Repenser d'urgence les plans types d'établissement** adoptés depuis 1987 pour en diminuer la taille (ordre de grandeur maximum : 150 à 200 places), y permettre les relations humaines nécessaires et la variété des régimes (cf. ci-dessus) et des activités (cf. ci-dessous) ; au sein de chacun, de petites unités d'hébergement doivent pouvoir être différenciées ; la concentration des constructeurs ne doit pas faire obstacle à la variété des plans des établissements, aujourd'hui tous uniformes.

– **Poursuivre le développement des alternatives à l'incarcération.**

– **Inventer de nouvelles « sanctions non incarcérantes » pour des délits**, en particulier, mais pas exclusivement, ceux le plus fréquemment sanctionnés de courtes peines (par exemple les incarcérations pour délits routiers) ; il s'agit de développer significativement les peines substitutives de l'article 131-6 du Code pénal.

– **Limiter la détention provisoire.** Pas tant sur les volumes (sur le long terme rétrospectif, la France est passée de 40 % à 25 % de prévenus en détention) que sur la durée (délais d'instruction et délais d'audiencement) ; cette limitation repose sur des moyens de fonctionnement accrus donnés aux greffes des juridictions.

– **Placer la personne détenue dans un parcours de peine dépendant de son comportement**, en la plaçant dans un régime plus favorable si elle se comporte bien, et défavorable en cas de mauvaise conduite. À cette fin, on doit organiser la diversification des quartiers dans un même établissement (afin de limiter de manière drastique les transferts d'établissement, réservés au pouvoir discrétionnaire de l'administration et générateurs de ruptures pour la personne détenue) ; là où cette diversification n'est pas possible, des établissements spécialisés dans une nature de détention doivent être imaginés. En cas d'évolution défavorable, les établissements à régime plus sévère ne doivent nullement constituer une fin en soi (comme c'est le cas aujourd'hui avec Condé-sur-Sarthe) mais doivent être dotés de plus de moyens destinés à inverser les comportements répréhensibles.

Le détenu a besoin d'avenir. La sortie doit être conçue à la manière d'une transition et non pas comme une rupture, comme c'est le cas aujourd'hui. Pour cela :

– **Ouvrir davantage la prison au dehors** (sans rien céder sur la privation de la liberté d'aller et de venir) ; en particulier, des services de droit commun doivent pouvoir travailler en prison.
– **Développer l'autonomie de la personne détenue lorsque sa personnalité la rend possible.**
– **Associer fortement les familles** (lorsqu'il en existe), qui sont le vecteur le plus décisif de la réinsertion, **à l'accueil en détention et au déroulement de l'incarcération** ; ce qui implique avant tout que l'administration pénitentiaire accepte qu'elle n'a pas, à elle seule, la maîtrise de ce qui survient dans les établissements et que l'exigence de sécurité a des limites ; de manière plus concrète, il convient de :
   • **Multiplier les unités de vie familiale (UVF)** partout où les locaux s'y prêtent.
   • **Améliorer les conditions d'accueil dans les parloirs.**
   • **Intégrer,** dans le cycle « arrivants » presque partout en place, **la présence des familles** et associer celles-ci à chaque décision importante (par exemple le changement de régime).
   • **Veiller à l'information des familles en toutes circonstances** (par exemple en cas d'hospitalisation) et à cette fin de désigner des correspondants au sein des cadres de surveillance, d'une part, et des conseillers d'insertion et de probation,

d'autre part, chargés de recueillir des données utiles et de fournir en retour tout élément nécessaire à la préparation de la sortie.

• **Permettre à la personne incarcérée de désigner** (comme à l'hôpital) **une personne de confiance externe à l'établissement**, interlocuteur nécessaire de l'administration en toutes circonstances, sans toutefois que l'avis de cette personne puisse lier la décision publique.

— **Favoriser le développement d'activités permettant à la personne détenue de mesurer des résultats** (passage d'examens, acquisition de connaissances par validation des acquis de l'expérience, formation professionnelle...) sanctionnés par des actes délivrés par des tiers (à l'administration pénitentiaire), actes pris en compte dans l'autonomie à donner et le régime carcéral à modifier ; en revanche, il doit bien être marqué que ces actes interviennent de manière facultative dans l'appréciation du juge de l'application des peines (JAP) sur la détention d'un condamné (et non de manière quasi automatique, comme dans l'appréciation actuelle des réductions supplémentaires de peines par exemple) ; on doit prendre garde aussi que la situation de pénuries d'activité ne renforce pas l'arbitraire administratif dans le choix des personnes « dignes » d'être admises à une activité, donc à une évolution du régime carcéral.

— **Le régime des correspondances et des communications téléphoniques doit être assoupli**, sous réserve de bonne conduite, dès lors que parallèlement des facilités sont données aux services de police (et demain, sans doute, à l'administration pénitentiaire elle-même) afin de surveiller les personnes qui doivent l'être pour des besoins de sécurité ; l'accès à Internet doit désormais être admis, y compris aux messageries électroniques, dans des salles spécifiques, sur les ordinateurs de l'administration permettant la surveillance de l'activité « Internet » de chacun (y compris des messages reçus ou envoyés) et de l'interdiction d'accès à des sites dangereux ; les téléphones portables doivent être admis avec les mêmes obligations de surveillance permanente des connexions ; l'accès à Internet et au téléphone doit s'accompagner d'une prise en charge de chaque personne par elle-même, avec l'aide des services sociaux, dans la recherche de travail et de logement pour la sortie, d'enseignement ou d'activités variées pendant la détention.

– Développer le travail notamment en matière d'activités de service (informatique), peu consommatrices d'espace et synonymes d'acquisition de compétences ; un véritable régime légal du travail pénitentiaire doit être instauré par la loi, rendant obligatoire les principales règles du Code du travail (sauf celles liées à la représentation des salariés) ; en matière de contrat de travail, comme il a déjà été proposé, une « agence du travail pénitentiaire » (à partir de l'actuel service de l'emploi pénitentiaire) doit pouvoir offrir des contrats de travail le temps de la détention (sur le modèle du CDI intermittent) avec les droits afférents.

– Le représentant de la société civile associé depuis la loi pénitentiaire de 2009 aux commissions de discipline doit en prendre la présidence et les décisions de ces commissions doivent être collégiales ; la procédure doit garantir le contradictoire.

– Le régime des réclamations et des plaintes dans les établissements doit suivre un circuit spécifique garantissant l'acheminement des correspondances (y compris à l'extérieur), une procédure contradictoire et des réponses motivées ; la mission de contrôle dévolue au parquet par le Code de procédure pénale doit être précisée dans ses missions et ses moyens.

– Les caisses d'assurance maladie et vieillesse doivent être associées (au plan régional) à l'incarcération pour que la protection contre la maladie et la vieillesse soit assurée dès le premier jour et pendant une période suffisante après la sortie (ce qui est loin d'être le cas aujourd'hui).

– Les services sociaux des communes et des départements du ressort de l'établissement doivent suivre les personnes qui ont besoin d'y avoir recours, réputées avoir leur domicile dans ces collectivités ; les prisons doivent devenir un cadre d'exercice normal du service social local ; il en va de même des antennes de Pôle Emploi ou des missions locales ou de tout autre service concourant à l'insertion ; ces interventions allégeront la tâche des personnels pénitentiaires d'insertion et de probation qui devront davantage s'investir dans le « milieu ouvert ».

– **Les services existants doivent être améliorés** : les soins (renforcement de la lutte contre les addictions et contre la maladie mentale ; venue de spécialistes hospitaliers dans les établissements…) ; l'enseignement (la scolarisation des mineurs n'est pas convenablement assurée).

– **La question de la maladie mentale en prison requiert l'ouverture importante de lits spécialisés en hôpital psychiatrique.** Le jugement prononçant dans ce dernier cas des peines d'emprisonnement ne devrait être exécutoire que si, préalablement, la personne a été examinée par un collège médical (et le JAP) qui déciderait si la peine est immédiatement exécutable ou s'il ne faut pas soigner la personne sur le fondement d'une admission aux soins sans consentement, décidée alors par le préfet ; c'est après les soins dispensés que la chambre de l'application des peines déciderait d'une exécution éventuelle du jugement de condamnation.

6

La politique de défense : redonner de la profondeur stratégique

> « Le président de la République
> est le garant de l'intégrité du territoire. »
> Constitution de la Ve République,
> Article 5

Comme l'a montré la description du monde à venir dans le manifeste qui introduit ce programme, la question de la guerre et de la paix est revenue au premier rang des enjeux du pays. Elle le sera de plus en plus à l'avenir. Et donc des choix qu'aura à faire le prochain président de la République.

Notre pays a conclu, trop rapidement, de la fin de la guerre froide qu'il n'avait plus d'ennemis, mais encore des alliés ; et que, grâce à ces derniers, il disposait d'une avance militaire confortable.

Ces deux présupposés sont faux.

Nous avons des ennemis déclarés, qui marquent la volonté de nous agresser ; ils sont pour l'instant non étatiques ; les menaces sont multiples et concernent des espaces de plus en plus diversifiés : des espaces qu'on appelle « solides », avec la militarisation du terrorisme ; des espaces dits « fluides » traditionnels (air et mers) ; des espaces extra-atmosphériques, et le cyberespace, sanctuaires des lignes de communication desarmées modernes (vulnérabilité des satellites, cyber-attaques).

Nous avons certes des alliés indéfectibles, comme l'Allemagne, la Grande-Bretagne et les États-Unis, lors de conflits circonscrits à des zones géographiques précises ; mais sans consensus global sur les politiques à mener sur tous les champs de bataille.

Enfin, l'Occident perd progressivement son avance militaire. D'abord, parce que les États non occidentaux sont désormais capables de mener des stratégies d'interdiction, ou de déni d'accès, dans les airs et sur les mers. Ensuite, parce que les conflits de basse intensité sont de plus en plus complexes, contournent les fondamentaux de la dissuasion et la puissance conventionnelle, et utilisent de plus en plus des technologies « nivellantes », tels des engins explosifs improvisés, des tireurs d'élite, des attentats-suicides, des attaques chimiques, des cyber-attaques. Enfin, parce que les États occidentaux réduisent leurs budgets et se montrent de plus en plus réticents à intervenir au sol, donnant un prix sans cesse plus élevé à la vie de chacun de leurs soldats.

Dans ce contexte, l'armée française reste une armée d'excellence, dont la compétence, l'engagement et les savoir-faire des personnels sont éprouvés et reconnus.

Elle dispose d'un ensemble cohérent de capacités lui permettant d'intervenir sur la quasi-totalité du spectre des actions militaires : l'arme nucléaire ; des opérations spéciales ; une capacité de projection conventionnelle ; des opérations de basse ou de moyenne intensité très diverses ; des opérations spéciales (réaction à une agression, lutte contre les réseaux terroristes, assistance militaire) ; des participations aux opérations multinationales de stabilisation ou d'imposition de la paix (opérations de maintien de la paix au Liban, opérations de stabilisation en Côte d'Ivoire, en Afghanistan) ; une capacité d'« entrer en premier » sur un théâtre africain, avec une grande réactivité (opération Serval au Mali en 2013) ; une mobilisation de la puissance de feu aérienne (opération Harmattan en Libye en 2011, opération Chammal en Irak en 2014 contre l'État islamique). Par ailleurs, les opérations extérieures menées par la France lui donnent l'occasion d'éprouver ses procédures, ses moyens, la qualité de ses combattants et l'incitent à s'adapter en continu à l'évolution des menaces et à ses modes d'action.

La France est aussi la seule puissance au monde, avec les États-Unis et la Russie, à détenir les trois capacités navales majeures (porte-avions, navires amphibies et sous-marins nucléaires d'attaque).

Ses savoir-faire opérationnels et industriels sont constamment adaptés et éprouvés sur le terrain. Ses armées garantissent en permanence des missions de surveillance et de protection, par une posture de dissuasion nucléaire et de protection des sous-marins nucléaires lanceurs d'engins, par la protection des espaces aériens et maritimes, la surveillance des approches, et par leur contribution à la sécurité intérieure.

Enfin, au-delà de ses savoir-faire strictement militaires et de l'extraordinaire motivation des femmes et des hommes qui ont choisi cette vie, la France dispose d'atouts politiques qui confortent sa posture de défense : la chaîne de décision politique y est courte et rapide, avec une autonomie de décision du président de la République. Les forces prépositionnées et les accords de défense lui donnent une connaissance « intime » du terrain dans une partie de l'Afrique et du Moyen-Orient. Son industrie de défense est particulièrement performante, tirée vers le haut par les exigences de crédibilité et de fiabilité de la dissuasion nucléaire.

Il n'en demeure pas moins que notre armée, engagée sur plusieurs théâtres, manque cruellement de réserves stratégiques. Les moyens de combat conventionnel de haute intensité (chars, canons, avions) sont en diminution continue depuis vingt ans, tant en termes d'hommes qu'en termes d'équipements ; même si la révision récente de la loi de programmation militaire a interrompu ce processus.

	2000	2010	Cible 2020 actuelle
Effectifs militaires	265 000	242 000	191 800
Équipements Terre			
– chars	1 075	670	436
– hélicoptères	425	319	255
Équipements Air			
– avions de combat	380	257	215
– drones MALE			12
Équipements Mer			
– porte-avion	1	1	1
– SNA	6	6	6
– frégates	27	17	11

Surtout, l'armée française manque de « réserves stratégiques ». Ses capacités de projection se sont réduites, et souffrent de deux limites : d'une part, le manque d'effectifs pour tenir le terrain dans la durée ; d'autre part, des lacunes en matière de capacité de renseignement (drones) et de mobilité stratégique (moyens de projection tels que les avions de transport, les bateaux, les ravitailleurs en vol). L'armée use son capital humain et matériel sans avoir le temps de le régénérer. Les indicateurs d'entraînement sont inférieurs aux normes OTAN ; le parc d'équipements vieillit. Bien que des matériels de nouvelle génération – avion Rafale, véhicules blindés de combat d'infanterie (VBCI) et hélicoptères Tigre – soient entrés récemment en service, les armées doivent utiliser encore des matériels datant des années 1970 (véhicules de l'avant blindé, frégates anti-sous-marines), voire des années 1960 (ravitailleurs C135 FR).

Le taux de disponibilité du parc se réduit au fur et à mesure qu'il vieillit et qu'il est engagé en opération. Les constats formulés en 2014 par la Cour des comptes font ainsi apparaître une très faible disponibilité des aéronefs.

De plus, la procédure budgétaire de choix des investissements publics est par principe défavorable aux investissements militaires : l'annualité budgétaire freine la sécurisation des enveloppes à moyen terme, même si la loi de programmation militaire fixe une référence. À aucun moment l'État n'est en position d'arbitrer ses choix d'investissement en confrontant le coût ou la rentabilité des différents projets civils et militaires proposés. La défense ne bénéficie d'aucune ressource affectée ni d'aucun cofinancement local et dépend donc quasi exclusivement des crédits budgétaires de l'État ; elle ne bénéficie non plus d'aucun financement européen ou de traitement privilégié dans l'appréciation des déficits alors qu'elle contribue à la protection de tout le territoire européen.

Au total, les dépenses militaires (y compris les retraites) représentent 1,8 % du PIB selon les statistiques de l'OTAN, contre 2,5 % en 1995. En dessous de 2 %, l'armée française sacrifie la préparation de l'avenir : les urgences opérationnelles « mangent » l'essentiel des crédits, laissant peu de place à la régénération des forces, à la recherche-développement et au développement de technologies de rupture.

Pour dessiner le programme de défense du prochain mandat, il faut d'abord assigner à cette politique des objectifs clairs et réalistes.

Tout d'abord – et c'est la pierre angulaire de toute politique de défense –, la France doit être capable de protéger ses intérêts vitaux. Elle doit pour cela être capable de garder son autonomie de décision, de conserver une posture de dissuasion crédible, de protéger ses ressortissants et de tenir ses engagements vis-à-vis de ses alliés. Si elle ne peut plus prétendre mener seule un combat de haute intensité, elle doit disposer de renseignements propres pour assurer son autonomie de déci-sion ; être capable de mener en coalition un combat de haute intensité ; projeter des forces – et ne pas seulement frapper à distance. Elle doit être capable de contribuer à des actions de stabilisation longues dans les zones où se joue la sécurité de ses ressortissants. En particulier dans les États alliés fragiles (prin-cipalement africains). Cela suppose une capacité d'« entrer en premier » en cas d'urgence, mais aussi une action durable et déterminée.

De plus, la mondialisation du terrorisme rend pour une part obsolète la distinction entre sécurité intérieure et sécurité exté-rieure.

Enfin, l'anticipation doit être la pierre angulaire de notre politique de défense : la France doit être capable de mener les guerres d'aujourd'hui tout en préparant celles de demain et d'après-demain. Les crises et les guerres d'aujourd'hui requièrent une redondance des moyens de dissuasion pour garantir la crédibilité des représailles, ainsi que des systèmes de forces conventionnels et spéciaux. Pour préparer celles d'après-demain, il faut disposer des moyens de financer des recherches fondamentales, potentiellement duales, et de rechercher des technologies de rupture (robots, lasers, nanotechnologies, etc.).

Ces objectifs définis, France 2022 propose de faire de la défense une priorité du prochain mandat présidentiel, avec les axes d'action suivants.

Propositions

Axe 1 : Mettre en place un cadre d'arbitrage permettant de mieux mettre en perspective investissements civils et militaires

– **Consacrer aux dépenses militaires au moins 2 % du PIB** permettant de retrouver une capacité de recherche-développement et de programmation à moyen terme, seule garante de la sécurité de long terme.

– **Faire de la direction générale de l'armement du ministère de la Défense un opérateur à part entière des investissements de défense de l'État.** Une fois décidés, les investissements de défense devraient être gérés de manière optimale, c'est-à-dire en optimisant les coûts et les délais dans le cadre de l'enveloppe pluriannuelle prédéterminée, et non en fonction de la disponibilité des crédits budgétaires.

Axe 2 : Mobiliser les gains d'efficacité potentiels

– **Améliorer la coordination des moyens de sécurité intérieure et extérieure par le recours à l'interagence.** La continuité entre sécurités intérieure et extérieure impose une coordination beaucoup plus forte entre les armées, les services de l'État qui assurent la collecte du renseignement et ceux qui assurent la sécurité sur le territoire national.

– **Maintenir à niveau les composantes de la dissuasion nucléaire.** Et pour cela renouveler les sous-marins lanceurs d'engins, les missiles embarqués et les missiles air-sol.

– **Mieux intégrer les forces des trois armées.** Aujourd'hui, les technologies de l'information offrent l'opportunité d'améliorer l'efficacité des plateformes de combat des trois armes en les intégrant. Elles permettent de connecter ces plateformes entre elles, de faire transiter toutes les informations en temps réel (images, échantillons). Des forces, organisées en modules légers et réactifs, doivent se combiner selon les besoins et les impératifs de la mission du moment. Un avion de combat travaille avec un drone, des forces spéciales, des hélicoptères de combat, des avions de transport tactique ou des avions de patrouille maritime ATL2.

– **Créer une véritable Garde nationale** agrégeant et rationalisant les différents dispositifs existants ; tels que la réserve opérationnelle des armées et de la gendarmerie. Cette Garde nationale, qui ne doit pas former une armée à part, aurait vocation à contribuer à la sécurité des Français sur le territoire national (missions de protection du territoire de type Sentinelle, missions de protection des infrastructures civiles et militaires, ainsi que des missions de protection civile). Elle pourrait aussi remplir des missions spécialisées, telles que la cyber-défense. Cette Garde nationale mobiliserait potentiellement 100 000 réservistes faisant des périodes entre 30 et 100 jours par an rémunérés, permettant de mettre en permanence 10 000 femmes et hommes sur le terrain. Elle serait composée de jeunes recrues formées et encadrées par des officiers des trois armes. Le temps de réserve serait compté comme temps de fonction pour ces jeunes en alternance.

AXE 3 : COMBINER LA CULTURE DES OPÉRATIONS EXTÉRIEURES
ET LA CULTURE DE LA PROGRAMMATION, AFIN D'ANTICIPER
ET DE PRÉPARER LES OPÉRATIONS DE DEMAIN

– **Faire gagner en agilité** l'organisation industrielle de la défense. Cela passe notamment par **une plus grande différenciation des acquisitions d'équipements.**

• **Un modèle de longue durée, de type dissuasion,** mobilisant des crédits de développement à grande échelle pour des équipements à durée de vie longue.

• **Un modèle opportuniste, plus réactif**, permettant aux forces conventionnelles et spéciales engagées sur le terrain de s'adapter à une menace en perpétuelle mutation.

– **Maintenir une capacité de recherche-développement et programmer la construction de nouveaux systèmes de force à horizon de vingt ans.** Cette préparation de l'avenir doit **accorder une importance plus grande aux technologies duales** – civile et militaire –, dans une logique de coopérations industrielles entre centres de recherche, universités et entreprises.

AXE **4** : PROPOSER UNE STRATÉGIE EUROPÉENNE DE DÉFENSE

La mise en ordre de combat d'un État seul ne suffit pas à affronter les menaces mondialisées. Les Européens – dont beaucoup se sentent à tort protégés par leur seule appartenance à l'OTAN – doivent en prendre conscience.

– **Proposer aux autres membres de l'Union une coopération défensive,** où les intérêts communs sont plus immédiats et dans le continuum défense-sécurité intérieure.

– **Améliorer les coopérations industrielles entre Européens.** La concurrence des industries d'armement d'autres continents plaide pour un renforcement des savoir-faire spécialisés et de la compétitivité de l'industrie européenne. Cette coopération industrielle peut notamment se faire à travers : une harmonisation des demandes des États permettant de faire émerger une offre industrielle paneuropéenne et standardisée d'équipements ; le lancement de nouveaux programmes d'équipements communs, en recherchant des gains d'efficacité afin de réduire les coûts (capacité d'achats commune, etc.) et non une juxtaposition des spécialisations nationales ; la mise en commun de certains moyens nationaux (logistique, transport, soutien).

7

L'éducation primaire et secondaire : miser sur la petite enfance

« Les interventions de grande qualité
pendant la prime enfance ont des effets durables
sur l'apprentissage et sur la motivation. »
James J. Heckman,
prix Nobel d'économie

Au XXIe siècle, plus qu'en aucun autre, l'avenir d'un pays dépend du niveau de savoir de ses citoyens.

Le système d'éducation français devrait demeurer la fabrique des intelligences, le creuset du mérite, le moyen de l'ascenseur social. Dans l'enfance et tout au long de la vie, sa qualité et son égal accès pour tous est l'une des conditions de la création des futures richesses du pays.

La France investit dans son système éducatif d'importants moyens budgétaires et humains : la dépense annuelle par habitant est la deuxième au monde, derrière les États-Unis, pour l'école primaire française, et la première du monde pour le secondaire.

Pourtant, le constat est unanime : le système éducatif français, qu'il soit privé ou public, est à la fois sous-performant et inégalitaire.

Sous-performant d'abord. La dernière étude PISA en date[1] révèle que, alors que l'Allemagne avait des résultats inférieurs aux nôtres il y a quinze ans, la situation s'est inversée. De l'un et l'autre côté du Rhin, les systèmes éducatifs sont désormais au coude-à-coude, autour de la vingtième place, avec même une avance pour l'Allemagne. Il est toujours possible de se rassurer en soulignant les classements moins glorieux de pays comme les États-Unis ou le Royaume-Uni. Il n'empêche que de nombreux pays européens comme la Pologne, par exemple, sans parler des performances exceptionnelles de nombreux pays d'Asie, affichent des scores bien plus flatteurs.

Si le collège souffre de trop grandes rigidités, imposant le même régime à des élèves très différents, à l'inverse, le primaire est caractérisé par une très grande hétérogénéité des pratiques, sans réel contrôle ni évaluation (les professeurs des écoles ne sont en moyenne inspectés qu'une fois tous les sept ans).

La France est le pays de l'OCDE dans lequel les origines sociales pèsent le plus lourdement sur la réussite scolaire. Un enfant de famille aisée a reçu à 4 ans, par sa famille, 1 000 heures de conversation de plus qu'un enfant de milieu plus défavorisé, et son vocabulaire est trois fois plus riche que celui des enfants issus de familles de catégories socioprofessionnelles inférieures. C'est là l'essentiel : tout est alors joué. La quasi-totalité des élèves en grande difficulté en sixième l'étaient déjà au CP.

L'école française n'a pas non plus pris à plein le virage du numérique. Son retard technologique n'est pas tant en matière d'équipement qu'en matière d'usage. L'État distribue des tablettes à tous sans qu'on ait réfléchi aux immenses mutations, en particulier à la pédagogie différenciée, que le numérique rend possible. Les éditeurs, dont on aurait pu attendre qu'ils jouent un rôle d'innovateurs, ne consacrent pas de moyens suffisants à la recherche-développement d'outils d'éducation numériques, à l'inverse des éditeurs aux États-Unis, qui cherchent à

---

1. Étude PISA publiée en décembre 2013.

s'éloigner du format papier et à se concentrer sur les licences et la formation des enseignants.

De plus, le système public est perçu comme bien pire que le privé : 44 % des Français souhaitent inscrire leurs enfants dans le privé. La crise de confiance envers l'école publique est même telle que se développent de manière accélérée d'autres formes d'enseignement : école à la maison, école confessionnelle ; même si les tests réalisés dans les établissements privés sous contrat (une fois neutralisé l'effet de la composition de la population dans les établissements de ce type) ne révèlent pas d'amélioration significative par rapport à l'enseignement public.

Six facteurs expliquent l'incapacité de l'Éducation nationale à accomplir pleinement ses missions, malgré le dévouement de ses personnels.

Tout d'abord, 40 % des enseignants du primaire et du secondaire se sentent insuffisamment préparés à la pédagogie[1] (soit le taux d'insatisfaction le plus élevé parmi les trente-quatre pays de l'OCDE, pour lesquels la moyenne se situe à 11 %). 83 % des enseignants du collège estiment qu'ils devraient pouvoir se référer à des banques d'évaluation qui expliciteraient les attendus du programme. En 2007[2], 29,6 % des professeurs des écoles et 33,1 % des professeurs de collège ressentaient une impression d'impuissance, d'isolement, de fatalisme face à la difficulté scolaire. 70 % des enseignants jugeaient la mise en œuvre des réformes difficile et 60 % les attendus de fin de cycle trop imprécis pour leur permettre d'organiser la progression des apprentissages. En conséquence, la maternelle souffre d'une trop faible efficacité pédagogique : moins de 8 heures par semaine sont consacrées aux enseignements fondamentaux, et

---

1. « Regards sur l'éducation », OCDE, 2014.

2. « Les représentations de la grande difficulté scolaire par les enseignants, année scolaire 2005-2006 », ministère de l'Éducation nationale, de l'Enseignement supérieur et de la Recherche, 2007.

on décompte seulement 30 minutes par semaine environ d'accompagnement direct par les professeurs des écoles.

Ensuite, faute d'une bonne représentation, les organisations syndicales d'enseignants se focalisent sur le nombre des enseignants, sacrifiant systématiquement les perspectives d'augmentation des rémunérations ou d'amélioration de la formation continue au profit de la création de postes toujours plus nombreux. Circonstance aggravante, cette mécanique de créations de postes profite essentiellement à l'enseignement secondaire, où les organisations syndicales sont le plus puissantes, au détriment du primaire, où elle serait plus nécessaire.

La formation continue des enseignants est bien trop indigente alors qu'elle est essentielle : une réforme de la formation initiale – portant sur le flux des nouveaux enseignants et non sur le stock des enseignants déjà dans le système – demanderait plusieurs décennies avant de parvenir à améliorer véritablement les performances.

De plus, le poids de l'administration est énorme : la France ne consacre que 40 % du budget de l'Éducation nationale au paiement des enseignants, contre 80 % en Allemagne, et les salaires des enseignants français sont en moyenne de 35 % inférieurs à ceux des Allemands. La dépense administrative totale est trois fois supérieure à celle de l'Allemagne.

Autre facteur qui ankylose l'école : le poids des dogmes. L'inspection générale s'oppose à toute évaluation quantitativiste, sur la base d'échantillons tests, de randomisation, de *monitoring*, etc., et à ce qui touche à la psychologie cognitive et à l'économie de l'éducation. D'autres dogmes continuent de peser : les apprentissages précoces seraient, dit-on, susceptibles de conduire à une sur-stimulation ; l'égalitarisme absolu est, à tort, confondu avec la nécessaire différenciation et ne permet pas d'adapter l'enseignement selon les besoins (notamment dans les ZEP).

Enfin, les réformes sont souvent contradictoires : par exemple, si les programmes du cycle 2 (de la grande section au CE1) tels qu'introduits en 2009 ont permis de réduire les inégalités à la sortie du système, ils ont de nouveau été réformés en 2012, ne leur permettant pas de produire pleinement leurs effets. La réforme du collège de 2015, si elle permet de rendre les collèges plus autonomes et allège les programmes des humanités, affaiblit l'enseignement des langues, la compréhension et la maîtrise chronologique de l'histoire, déconstruit la réussite des écoles bilangues, alors que les évaluations PISA démontrent que le niveau en français et en mathématiques, voire en sciences, ne cesse de baisser. Et la réforme des rythmes scolaires n'a pas démontré son utilité.

Par ailleurs, le nombre de jeunes Français formés par l'alternance (apprentissage et contrats de professionnalisation) n'est passé que de 440 000 en 1990 à 540 000 en 2013, alors que l'Allemagne compte près de 1,6 million d'apprentis. De plus, en France, ce sont de plus en plus les jeunes déjà diplômés qui bénéficient de l'apprentissage : la proportion dans l'apprentissage des jeunes sans diplôme est tombée de 60 % à 32 % entre 1992 et 2010.

Ces points de blocage identifiés, France 2022 propose les leviers d'action prioritaires suivants.

PROPOSITIONS

AXE 1 : FOCALISER L'ATTENTION SUR LA PETITE ENFANCE : CRÈCHE ET MATERNELLE

– Réinventer une forme de crèche focalisée sur l'apprentissage du langage.
– Expérimenter sur deux ans la formation de 3 000 éducateurs à la pédagogie ciblée. Pour 10 000 bénéficiaires, le coût de cette réforme s'élèverait à 200 millions d'euros.

– **Modifier le taux d'encadrement en maternelle.** Passer d'un adulte pour vingt enfants en maternelle à 3 ans à un adulte pour trois enfants, dans les zones en difficulté, pour rattraper les 1 000 heures de retard de conversation en français des enfants d'origine socio-économique moins favorisée. Le coût de cette mesure est estimé à 3 milliards d'euros pour tous et en année pleine. Comparée à la réforme des rythmes scolaires, qui a coûté 1 milliard et qui n'a rien changé à la qualité de l'enseignement, cette réforme, fondamentale pour l'égalité des chances, est essentielle.

– S'assurer que, dès la maternelle, les enfants aient accès aux droits fondamentaux que leur assure la laïcité.

– Entreprendre la construction de 1 500 nouvelles écoles en réseau d'éducation prioritaire.

– Adopter des techniques d'apprentissage telles que la lecture partagée, les jeux cognitifs, la pédagogie différenciée, les conversations individuelles quotidiennes[1].

AXE 2 : À L'ÉCOLE PRIMAIRE

– **Mettre en œuvre les protocoles pédagogiques** issus de la meilleure recherche (évaluée et conforme aux standards internationaux) : réaffirmer le caractère scientifique de l'éducation, et l'importance d'en appliquer les meilleures méthodes. Les enseignants doivent être formés à des compétences difficiles à enseigner (comme la phonologie, le code, la fluence) ainsi qu'à la gestion de l'autonomie des élèves et à la conduite de séances en petits groupes pour mobiliser l'attention de tous les élèves. Des outils pédagogiques d'évaluation doivent être mis à la disposition des enseignants.

---

1. Sur le modèle des programmes *Perry Schools* et *Carolina Abecedarian*.

– Intensifier et généraliser la numérisation de l'école.

– Généraliser les expériences pédagogiques réussies, après mesure d'impact.

AXE 3 : INSTAURER UNE VÉRITABLE GESTION
DES RESSOURCES HUMAINES

– Permettre une plus grande mobilité entre l'Éducation nationale et les autres corps de la fonction publique pour ses personnels.

– Préférer des enseignants mieux rémunérés et mieux formés à des enseignants plus nombreux.

– Donner pouvoir au directeur d'école sur l'organisation de la pédagogie et son adaptation au milieu.

– Nommer un directeur adjoint, en charge de la discipline, dans les plus grands établissements du primaire et les collèges.

– Reprendre la formule suédoise du *voucher* permettant aux parents de recevoir des bons d'une valeur équivalant au coût de l'école publique pour financer une école privée.

– Définir des objectifs précis, opérationnels et réalistes pour les enseignants et **mettre en place des outils de mesure de performance**.

– Oser l'autonomie institutionnelle et pédagogique dans le secondaire.

– Ouvrir l'école aux parents.

  • Proposer aux parents d'élèves de venir passer une demi-journée en classe ; particulièrement pour ceux qui sont le plus loin de notre système scolaire.

  • Prendre le temps en début d'année scolaire d'expliquer aux parents et aux enfants les enjeux de la scolarité.

  • Mettre en place une culture de l'évaluation des méthodes de remédiation et de lutte contre le décrochage scolaire.

8

Politique étrangère :
ne plus subir, agir

> « Nous n'avons ni alliés permanents,
> ni ennemis permanents.
> Nous avons des intérêts permanents. »
> Lord Palmerston

À la différence de certaines réformes emblématiques dans le domaine de la fiscalité ou de l'éducation, par exemple, nombre d'axes jugés prioritaires en matière de politique étrangère ne dépendent pas uniquement du vote d'une loi ou de la publication d'un décret.

Ils reposent sur un travail de négociation avec des partenaires extérieurs dont les résultats seront par nature incertains. Ils ne peuvent non plus être définis à l'avance, sinon dans de grands principes. D'où l'importance, dans ce domaine peut-être plus que dans d'autres, d'une vision du monde, d'une éthique, de symboles, d'une doctrine et de l'affirmation de certains principes directeurs qui portent une vocation programmatique.

Le principal levier opérationnel est celui de l'appareil administratif de notre politique étrangère ; ce domaine, loin de constituer une simple question d'intendance, doit donc être considéré avec attention.

Tel que décrit dans le manifeste introductif à ce programme, le monde sera de plus en plus dangereux et son évolution prévisible fixe le cadre de notre politique étrangère.

Les deux priorités absolues de notre politique étrangère sont les moyens de notre défense et la construction européenne. Ils font l'objet de deux chapitres séparés. Nous traitons donc ici essentiellement de quelques-uns des sujets transversaux ou géographiques qui s'imposeront au prochain président, en particulier en Afrique et au Moyen-Orient.

1. La politique étrangère de sécurité

1.1 Les paramètres de l'action

Alors que la France est militairement engagée sur plusieurs terrains, se pose la question de notre doctrine d'intervention extérieure ; et l'histoire récente est, de ce point de vue, riche d'enseignements. L'échec de la seconde intervention américaine en Irak (2003), qui répondait au dessein néo-conservateur de conduire à un « Grand Moyen-Orient », à travers une coalition internationale hors mandat de l'ONU – et contre la volonté de la France, de l'Allemagne et de la Russie –, a rappelé qu'on ne pouvait imposer la démocratie par le seul jeu des armes. L'exemple irakien a également rappelé que le démantèlement d'un État et d'une armée pouvait conduire au pire.

De même, l'intervention française en Libye (2011), qui s'est appuyée sur une interprétation extensive de la résolution 1973 de l'ONU, a conduit à une dissémination d'armes dans le Sahel et à une déstabilisation qui fait aujourd'hui le lit de l'extrémisme. Enfin, l'embargo à l'égard de la Russie à l'occasion de l'affaire de la Crimée n'a en rien servi les intérêts de la France.

Concernant nos alliances, il faut garder en mémoire le mot célèbre de Lord Palmerston : « Nous n'avons ni alliés permanents, ni ennemis permanents. Nous avons des intérêts permanents. » C'est cette approche réaliste qui a permis aux Alliés de vaincre l'expansion hitlérienne, durant la Seconde Guerre mondiale, grâce à l'URSS de Staline, et c'est cette même considération qui doit nous inciter, aujourd'hui, à envisager de manière pragmatique nos rapprochements éventuels avec d'autres puissances selon nos intérêts, et en hiérarchisant les menaces.

PROPOSITIONS

– La France ne doit intervenir que lorsque ses intérêts propres, directs ou indirects, ou ceux de ses alliés et amis, sont menacés, et non en fonction de la seule nature du régime de tel ou tel État tiers ni de la politique qui y est menée.
– La France doit agir sans faille contre les nations qui constituent un danger pour sa sécurité et pour celle de ses alliés ou amis.
– Toute intervention extérieure devra, dès sa planification, évaluer les nécessités de reconstruction du pays d'opération.

1.2 Renforcer les solidarités de sécurité de la France : les moyens multilatéraux de l'action[1]

Le cadre multilatéral de l'action diplomatique de sécurité suppose des alliances, des négociations internationales et, idéalement, un désarmement.

Le cœur des instruments de sécurité de la France demeure son appartenance au Pacte atlantique, créé en 1949 dans la

---

1. Voir le chapitre sur la politique de défense, pour ce qui concerne les moyens français en matière de capacité d'action.

logique d'un monde bipolaire. Paradoxalement inactive durant la guerre froide, l'OTAN s'est révélée opérationnelle à la fin des années 1990 (Serbie, Afghanistan). Avec la disparition du pacte de Varsovie se pose la question de son existence même, alors que certains de ses membres, dans le sillage des États-Unis, souhaiteraient en faire la coalition mondiale des démocraties ; et que d'autres voudraient en faire l'alliance des ennemis du terrorisme.

Parallèlement, l'Europe de la défense, malgré les déclarations d'intention, peine à devenir opérationnelle, et le bilan de la Politique européenne de sécurité et de défense commune (PSDC) demeure fragile, alors même que les restrictions budgétaires auxquelles sont confrontées les économies européennes devraient en faire une priorité.

Par ailleurs, la sécurité passe, ultimement, par un désarmement effectif.

La course aux armements est un sujet de préoccupation majeur. Les armes conventionnelles, notamment les armes légères et de petit calibre (ALPC), sont de plus en plus létales, puisqu'elles causent chaque année près de 500 000 morts. Mais les armes de destruction massive (ADM) constituent naturellement pour l'ensemble de l'humanité la menace la plus grave, aujourd'hui aggravée par la possibilité d'un terrorisme NRBC (nucléaire, radiologique, biologique et chimique).

L'accord du P5 + 1 avec l'Iran de juillet 2015 a permis d'écarter, du moins pour un temps, la perspective d'une prolifération nucléaire au Moyen-Orient. Mais la détention de l'arme nucléaire par des États non parties au traité de non-prolifération (TNP) et la possibilité de l'atteindre rapidement pour les « États du seuil » continuent toutefois de faire peser une épée de Damoclès sur la sécurité internationale. En témoigne, par exemple, les provocations de la Corée du Nord, avec l'essai nucléaire d'une bombe H revendiqué en janvier 2016.

La France, en tant que puissance militaire responsable, doit continuer de mener une action déterminée en faveur du désarmement global, de préférence par la négociation et dans un cadre multilatéral, que ce soit par l'interdiction, la limitation ou le contrôle de certains armements jugés les plus inhumains et les plus dangereux.

PROPOSITIONS

AXE 1 : ANCRER LA FRANCE DANS UN RÉSEAU D'ALLIANCES ET DE NÉGOCIATIONS MULTILATÉRALES CLAIR

– **À court terme, l'OTAN demeure notre principal mécanisme effectif de sécurité collective.** Sur ce point, le retour de la France dans le commandement intégré a été une décision discutable, mais ne peut plus être remis en question. Par ailleurs, il faut **affirmer clairement que les frontières de cette alliance n'ont pas vocation à s'élargir. En particulier pas à l'Ukraine. Il faut également ne pas la présenter comme une alliance contre la Russie, qui a vocation à être une alliée, en particulier face au terrorisme. Là où c'est conforme à nos intérêts, intervenir militairement. En particulier, se porter garant de l'État de droit dans l'Afrique francophone.**
– À long terme, l'objectif d'une véritable Europe de la défense opérationnelle demeure naturellement un projet que la France doit appeler de ses vœux. Toutes les initiatives structurantes qui y concourront, notamment dans l'industrie de défense, doivent être encouragées. Plusieurs pistes sont envisageables pour progresser dans cette voie : coopération opérationnelle avec l'ONU, l'OSCE, l'Union africaine ou la Ligue arabe ; partenariat rénové et concret avec les pays du Maghreb. Il **faut développer l'« européanisation » de l'Alliance, à travers un dialogue plus étroit des ministres européens, en amont des**

réunions de l'Alliance, sur les questions traitées, et par des évolutions concrètes en matière de capacités militaires, de concertation politique et de répartition des opérations.

AXE 2 : ŒUVRER ACTIVEMENT POUR MAINTENIR
UN DÉSARMEMENT ÉQUILIBRÉ, SÛR, PROPORTIONNÉ ET VÉRIFIABLE,
POUR LE RENFORCEMENT DE LA SÉCURITÉ COLLECTIVE

Dans le domaine de l'armement nucléaire :
– Encourager la signature et/ou la ratification par tous les États du traité de non-prolifération (TNP), de son protocole additionnel, et du traité d'interdiction complète des essais (TICE).

Dans le domaine hors nucléaire :
– Étendre la signature et/ou la ratification des conventions sur les armes chimiques (CIAC) et biologiques (CIAB).
– Encourager l'Organisation pour l'interdiction des armes chimiques (OIAC) à étendre son contrôle à la production chimique civile (et non pas seulement au stockage militaire).
– Permettre à l'Organisation pour l'interdiction des armes biologiques (OIAB) de se doter d'un véritable mécanisme de vérification des engagements de ses États membres.

Dans le domaine de l'armement conventionnel :
– Promouvoir la négociation d'un traité mondial sur le commerce des armes (TCA).
– Encourager la signature et/ou la ratification du traité de Dublin sur les armes à sous-munitions.

Dans le domaine des armes autonomes :
– Concevoir un traité d'interdiction des armes autonomes (intelligence artificielle).

2. Promouvoir les intérêts économiques français

L'économie doit devenir une dimension majeure de notre politique étrangère.

2.1 *Accompagner les entreprises dans leur projection internationale*

Les économies mondiales ont entamé un mouvement de bascule, au profit de nouveaux entrants qui profitent d'une expansion soutenue depuis plus d'une décennie. Les BRICS (Brésil, Russie, Inde, Chine et Afrique du Sud) focalisent déjà l'attention des marchés ; les « N-11 » (ou Next Eleven) pourraient, dans des proportions plus modestes, prendre la suite : Bangladesh, Corée du Sud, Égypte, Indonésie, Iran, Mexique, Nigeria, Pakistan, Philippines, Turquie et Vietnam.

La France doit tirer parti de ces nouveaux marchés et de ces relais de croissance et ne pas négliger de nouer des alliances avec ces nouvelles puissances. Aujourd'hui, nous n'avons que 100 000 entreprises exportatrices (contre 200 000 en Italie et 300 000 en Allemagne) : la politique étrangère doit soutenir ces entrepreneurs, notamment dans leurs démarches à l'export et dans leurs projets d'installation à l'étranger.

En outre, la francophonie regroupe aujourd'hui 274 millions de personnes. Elle pourrait devenir le quatrième espace géolinguistique et économique, à l'horizon 2050, avec un total de 770 millions de locuteurs : c'est un atout essentiel, sur le plan économique, aux potentialités totalement négligées par notre diplomatie quels qu'en soient les titulaires, de gauche comme de droite.

Propositions

La France qui se réclame de l'« universalité » doit aussi inscrire la mondialisation dans un État de droit rigoureux et juste.

– Ne pas céder sur nos lignes rouges dans la négociation du TTIP (Transatlantic Free Trade Area), notamment sur la transparence des négociations et le refus d'un arbitrage privé État/entreprise (Investor-state dispute settlement, ISDS) ; soutenir la proposition d'une cour publique de justice commerciale.
– Être vigilant sur la défense des entreprises européennes lors de la négociation du TiSA (Trade in Services Agreement).
– Tirer parti de l'espace de la francophonie dans le domaine économique et travailler pour cela à la création d'une Union économique francophone.

2.2 Reconstruire entièrement l'aide au développement

Les enjeux des pays du Sud sont très différents de ce qu'ils étaient. Les envois des travailleurs étrangers et les investissements étrangers dépassent très largement l'aide. Et, pour la France, les enjeux démographiques du Sahel sont fondamentaux.

L'aide publique au développement française s'effondre, dans un mouvement mondial puisque la France demeure le quatrième contributeur en volume (10 milliards de dollars), derrière les États-Unis (30 milliards de dollars), le Royaume-Uni (20 milliards) et l'Allemagne (16 milliards). En termes relatifs, la France consacre 0,36 % de son revenu national brut à l'aide publique au développement. Soit deux fois moins que ce qu'estime l'ONU nécessaire pour remplir les huit objectifs du millénaire pour le développement, fixés en 2000.

Et encore, cette aide est trompeuse : l'effort budgétaire n'est que de 2,8 milliards, dont 1,7 est délégué aux institutions internationales. L'aide française proprement dite ne dépasse pas le milliard et elle est saupoudrée.

De plus, l'aide est aujourd'hui très inférieure aux investissements étrangers et aux transferts de migrants.

L'altruisme en matière d'aide publique au développement est pourtant dans notre intérêt. Des nations prospères et stables ne sont pas réceptives aux prédicateurs de haine, ne perdent pas leurs forces vives, qui empruntent les chemins périlleux de l'émigration, et permettent de construire des partenariats commerciaux mutuellement bénéfiques. Il faut donc adapter l'aide publique au développement aux réalités actuelles : pourquoi distribuer de l'aide en Chine, deuxième puissance économique mondiale ? Pourquoi ne pas adopter une approche durable du développement, afin d'autonomiser les pays receveurs d'aides et de ne pas verser des aides dans des puits sans fond ? Notre rôle doit être avant tout de stabiliser et de développer l'univers francophone.

PROPOSITIONS

– Réduire la part de l'aide au développement déléguée aux institutions internationales.

– Concentrer l'aide sur les pays les plus en risque de se défaire, et d'abord les quatre pays du Sahel (Mali, Niger, Tchad, Burkina Faso).

– Cesser l'aide budgétaire globale, pour en revenir à une aide par projet.

– Aider plus les sociétés que les gouvernements.

– Favoriser en priorité la mise en place de l'État de droit et des moyens d'une économie de marché.

– Encourager l'entrepreneuriat, les initiatives de *social business*, l'accès aux marchés commerciaux.

– Redonner à l'Agence française de développement, même rapprochée de la Caisse des dépôts, le statut d'un instrument de l'action publique, en la mettant sous la tutelle directe du président de la République.

3. Assurer le rayonnement de la France, de sa langue, de sa culture, de ses idées

3.1 *Faire partager notre langue et notre culture*

Notre réseau culturel à l'étranger bénéficie d'un maillage exceptionnel : près de 150 centres et instituts et 800 Alliances françaises rassemblent 450 000 étudiants qui apprennent le français, ainsi que 400 000 lecteurs dans nos médiathèques, et organisent 50 000 manifestations culturelles chaque année.

Dans la compétition globale des langues et des idées que la mondialisation, les nouvelles technologies et la mobilité internationale ont décuplée, la France ne doit pas penser que le rayonnement de sa culture et de sa langue est un acquis. Elle doit mesurer l'atout formidable dont elle dispose tout comme les efforts à déployer pour ne pas le perdre. La France a malheureusement beaucoup trop pris l'habitude de se reposer sur ses lauriers, non sans une certaine inconscience et/ou prétention.

Propositions

– Redonner un élan à notre diplomatie culturelle, éducative et linguistique en considérant la francophonie comme un axe essentiel de notre politique étrangère.
– Arrêter de couper les crédits de la diplomatie culturelle et de vendre le patrimoine. Prendre les Alliances françaises et leur fonctionnement pour modèle.

– Rompre avec une vision uniquement élitiste du « rayonnement culturel » au profit de la diffusion des cultures populaires.

– Remodeler l'implantation du réseau, en accord avec nos priorités stratégiques de long terme (il faut prioriser la présence dans les pays grands émergents plutôt que l'universalité de la présence dans les pays européens).

– Favoriser le développement par le privé du réseau actuel des écoles et des lycées français de l'étranger, afin de répondre à la demande gigantesque d'enseignement en français.

– Sur le modèle d'Erasmus, créer des partenariats universitaires ambitieux avec des zones extra-européennes dans lesquelles la France souffre d'un certain déficit de rayonnement, telles que la Russie et les pays d'Amérique latine, sans remettre en cause la priorité à la consolidation du monde francophone.

– Rechercher et valoriser les élites francophiles et francophones partout sur la planète.

D'autres mesures sont évoquées dans le chapitre sur la culture.

3.2 Défendre nos valeurs dans le débat d'idées, tout en renonçant à une posture de donneur de leçons passif, au détriment de nos intérêts

La France doit tenir son rôle de « patrie des droits de l'homme », dans sa politique d'asile et d'accueil, dans la défense de l'universalisme des valeurs qu'elle promeut, dans un rôle d'exemplarité dans l'application des droits et libertés fondamentales. Sa politique étrangère, elle, doit avoir comme objectif la défense des intérêts de la France. De ce point de vue, notre politique étrangère, depuis au moins dix ans, a très largement desservi nos intérêts.

PROPOSITIONS

– Ne pas céder à la « diplomatie compassionnelle » si on n'a pas les moyens ni l'intérêt à agir.

– Ne pas se lier les mains avec des sanctions paralysantes pour l'activité économique, notamment quand elles sont encouragées par les États-Unis (avec une extraterritorialité *de facto* des sanctions américaines).

– Retrouver le sens du long terme, pour trouver un équilibre dans nos relations bilatérales : les chefs de l'État passent, et le pays demeure. C'est particulièrement vrai pour la Russie : on ne peut pas laisser à l'Allemagne le monopole de la relation avec Moscou. C'est aussi vrai pour le Maghreb, où nous avons tout intérêt à aider au rapprochement et à l'intégration de ces pays. De même qu'il serait dans notre intérêt d'aider à la constitution d'un Moyen-Orient de paix et en particulier à la négociation bilatérale en vue de la création d'un État palestinien viable en paix avec un État israélien aux frontières sûres et reconnues.

4. ÊTRE PROACTIF DANS LA CONSOLIDATION D'UNE GOUVERNANCE MONDIALE

Les principales organisations de gouvernance mondiale créées dans l'immédiat après-guerre – Nations unies et institutions de Bretton Woods – sont de plus en plus contestées, notamment par les puissances émergentes, qui n'y voient pas le reflet de leur poids croissant.

Le Conseil de sécurité des Nations unies, épicentre du système onusien, concentre les critiques : ses quinze membres sont jugés insuffisamment représentatifs et le droit de veto des cinq membres permanents (P5) anachronique. Plusieurs propositions ont été formulées pour le réformer, dont un élargissement à de nouveaux membres permanents – que soutient aujourd'hui officiellement la France – ou une révision du droit de veto – en le limitant au chapitre VII, par exemple – mais elles ne font l'objet, à ce jour, d'aucun consensus (notamment en raison des rivalités régionales).

La Banque mondiale et le FMI, de la même manière, sont très fortement déconsidérés par les pays mêmes dans lesquels ils sont censés intervenir en priorité : la trop faible représentativité des pays du Sud dans ces deux institutions – traditionnellement présidées, l'une par un Américain, l'autre par un Européen – a ainsi fini par lasser la Chine, qui, en 2014, a créé sa propre institution, la Banque asiatique d'investissement pour les infrastructures.

Le G20, réuni pour la première fois en 2008 au niveau des chefs d'État et de gouvernement, représente 90 % de la richesse et 65 % de la population mondiale mais il n'est en rien une structure de gouvernance, faute de s'être structuré administrativement, et n'est que l'occasion d'une photo de famille.

Pour ne pas perdre pied dans cette cacophonie d'instances internationales, voire en être exclue, la France doit mettre sur la table de l'agenda international une proposition forte de rénovation de la gouvernance mondiale, dans laquelle elle conserverait un rôle de premier plan.

Propositions

– Proposer l'institution d'un G12 – G8 + grands émergents des BRICS (Brésil, Inde, Chine, Afrique du Sud) – comme instance de gouvernance mondiale, en remplacement des G7/G8, et en laissant les questions strictement économiques et financières à l'instance élargie qu'est le G20.
– Doter cette instance d'une structure administrative, étendre le champ de concertation au-delà des questions économiques et lui donner autorité sur les institutions financières internationales.

5. Sur la lancée de la COP21, continuer d'impulser le mouvement de lutte contre le changement climatique

La négociation de la COP21, enfin, a permis d'aboutir à l'accord de Paris, qui représente une avancée importante et positive, bien qu'il ait été présenté un peu rapidement comme un accord « contraignant » (malgré l'absence de mécanismes de sanctions) et qu'il n'intègre aucun élément sur le marché du carbone.

Propositions

– **Fixer mondialement le prix de la tonne de CO_2 à 60 euros,** ou au moins dans le cadre européen.
– **Proposer la création d'un tribunal international de l'environnement** qui aurait vocation à juger des délits écologiques, notamment des grandes entreprises multinationales.

6. Mieux accompagner les Français de l'étranger, dimension consulaire de la politique étrangère française

Environ 3 millions de Français vivent à l'étranger, soit plus que la population de Paris ou la totalité des départements d'Outre-Mer. Depuis la révision constitutionnelle du 23 juillet 2008, ces Français élisent directement 11 députés des Français de l'étranger.

Les pays qui comptent les communautés françaises les plus importantes (de 100 000 à 150 000) sont la Suisse, les États-Unis, le Royaume-Uni, la Belgique et l'Allemagne. Ces dernières années, les augmentations les plus importantes ont néanmoins été observées à destination de l'Amérique du Nord, l'Afrique du Nord et l'Asie-Océanie (Australie, notamment).

Les profils de nos concitoyens expatriés se sont diversifiés : au-delà des traditionnels cadres du secteur public ou de grands groupes privés, de plus en plus d'étudiants, de retraités ou d'entrepreneurs partent à titre individuel pour saisir les opportunités personnelles et professionnelles que leur offre une expérience de vie à l'étranger.

Plutôt que de continûment le déplorer, d'y voir une marque de désaffection pour l'Hexagone, un exil fiscal contraint ou un renoncement antipatriotique, il conviendrait plutôt de s'en réjouir : une France ouverte sur le monde, dont les citoyens savent tisser des liens avec l'étranger, ne peut être que plus apte à comprendre la mondialisation et à s'y tailler un rôle de premier rang.

Par ailleurs, les parcours expatriés sont rarement à sens unique, et c'est précisément la multiplicité des séjours, l'alternance des lieux de résidence et des allers-retours selon les cycles de vie qui permettent, d'une part, de participer à notre rayonnement culturel à l'étranger et, d'autre part, de revenir dans notre pays, riche d'un regard neuf et constructif, acquis au contact d'autres cultures.

PROPOSITION

– Apporter un soutien ouvert aux Français qui ont fait le choix de vivre à l'étranger, en facilitant leurs démarches administratives, à leur départ, en tant que résidents expatriés, et au moment de leur retour en France.

7. RÉFORMER NOS OUTILS DE POLITIQUE ÉTRANGÈRE

La France dispose du troisième réseau diplomatique au monde, avec une présence dans quasiment tous les pays (162 ambassades bilatérales et 16 représentations multilatérales). Cette universalité est un de nos avantages comparatifs, mais l'organisation de nos implantations doit être repensée, pour favoriser une meilleure adéquation de nos ressources et de nos priorités.

La dimension internationale est devenue une constante pour l'ensemble des administrations, ainsi que de nombreux opérateurs : la nécessité d'assurer une fonction de pilotage, de suivi et de coordination n'en devient que plus impérieuse, si l'on veut garantir une cohérence à notre action extérieure.

De la même manière que le secrétariat général aux Affaires européennes assure la centralisation et, en cas de besoin, l'arbitrage de nos positions dans les instances européennes, il est important qu'une structure interministérielle joue le même rôle pour l'ensemble de nos initiatives dans le domaine de la politique étrangère. Compte tenu de la présidentialisation croissante de notre action extérieure, cette coordination devrait être placée directement auprès du président de la République.

Par ailleurs, même si la réactivité aux crises est naturellement une dimension essentielle de l'action extérieure, il convient de créer une structure indépendante qui puisse s'extraire du simple temps médiatique et des réflexes de l'administration pour penser le long terme et assurer un rôle de recherche et de prospective.

PROPOSITIONS

AXE 1 : LE PILOTAGE EN CENTRAL DE L'ACTION EXTÉRIEURE

– **Refondre entièrement le Quai d'Orsay.** Il doit devenir inter-ministériel et préparer l'avenir. Il ne doit pas être un ministère de gestion de l'urgence et de production de notes à la chaîne comme il l'est aujourd'hui. Ses procédures, son mode d'action, son recrutement doivent être réformés pour qu'il puisse réelle-ment coordonner l'action internationale des autres institutions.
– **Créer un Conseil de sécurité nationale (CSN), placé auprès du président de la République,** pour assurer les fonctions inter-ministérielles de pilotage stratégique de toutes les dimensions de l'action internationale.
– **Créer un Centre d'analyse et de prospective indépendant** du ministère des Affaires étrangères, composé d'universitaires, de chercheurs, de journalistes et d'officiers – sur le modèle du Conseil d'analyse économique (CAE) ou du Centre d'analyse stratégique (CAS) pour mener une réflexion de haut niveau sur les enjeux géopolitiques à long terme.

AXE 2 : LE RÉSEAU À TRAVERS LE MONDE
DE L'ACTION EXTÉRIEURE

– **Maintenir la priorité absolue à notre présence dans le monde francophone.**
– **Réorienter nos représentations dans le monde vers les pays émergents ou d'importance stratégique :** favoriser la qualité (moyens d'action) sur la quantité (universalité du réseau).
– **Rompre avec l'actuelle dilapidation de nos biens immobiliers à l'étranger** en faveur d'une vision patrimoniale.
– **Développer la coopération franco-allemande en matière de représentation à l'extérieur.**

9

L'Europe :
prendre le virage historique
plutôt que se retrouver au pied du mur

« L'ambition dont on n'a pas les talents est un crime. »
Talleyrand

Un des enjeux de la prochaine campagne présidentielle sera de convaincre les Français qu'ils auront un meilleur avenir dans une Union européenne renforcée que dans une France isolée. À travers une histoire encore récemment tragique, l'Europe a construit un modèle que les autres envient : un espace de paix et de liberté par-delà les frontières politiques, culturelles et linguistiques ; un niveau de vie et de sécurité à nul autre pareil ; un modèle social certes hétérogène mais plus exigeant qu'ailleurs ; un modèle écologique et environnemental de plus en plus en avance sur le reste du monde. L'alliance avec l'Allemagne est aussi un des legs les plus précieux de cette histoire funeste. Il faut tout faire pour la conforter et avancer ensemble.

Construite sur les fondements de la réconciliation franco-allemande, elle est allée de succès en succès avec le traité de Rome, le Parlement européen, l'Acte unique, puis le traité de Maastricht et la création de l'euro et de la zone euro. Malgré le refus de la Constitution européenne en 2005, le traité de Lisbonne a permis, à partir de 2009, aux États européens de reprendre leur marche en avant vers plus de solidarité et d'intégration. Ce traité actait aussi un renforcement démocratique, avec l'accroissement de 40 à 70 des domaines dans lesquels le Parlement européen « co-décide » avec le Conseil de l'Union. Il créait un haut représentant pour les Affaires étrangères et la Politique de sécurité, doté d'une administration, embryon d'un ministère des Affaires étrangères européen, le Service européen pour l'action extérieure (SEAE), afin de susciter par le haut l'émergence d'une diplomatie européenne.

D'autres progrès ont suivi, en matière de supervision bancaire ; de solidarité financière entre États membres ; de lutte contre la fraude fiscale. La création de l'Union bancaire a en particulier constitué un transfert de souveraineté très significatif : en cas de faillite d'une banque, le degré de mise à contribution des épargnants et des contribuables ne sera plus décidé au niveau national.

Dans la zone euro, des traités intergouvernementaux ont dû être négociés en urgence pour créer des outils propres à la zone en dehors du droit de l'Union : traité budgétaire, traités instituant le Fonds européen de stabilité financière, puis le mécanisme européen de stabilité. L'Eurogroupe, qui réunit les seuls ministres des Finances de la zone, est devenu *de facto* décisionnaire, souvent avec le FMI, même si c'est encore le Conseil ECOFIN[1] à 28 qui, formellement, adopte les décisions.

La Banque centrale européenne est devenue une institution solide, efficace, cohérente et ayant prise sur le réel. Même si elle ne peut que donner du temps aux politiques, elle le fait très bien, au point même que les politiques ne pensent plus devoir utiliser le temps qui leur est ainsi accordé pour agir.

---

1. Le conseil ECOFIN (Affaires économiques et financières) est responsable de la politique de l'Union dans trois grands domaines : la politique économique, la fiscalité et la réglementation des services financiers. Il réunit les ministres de l'Économie et des Finances de tous les États membres.

Ces succès ne doivent pas dissimuler l'essoufflement de la mécanique européenne. Elle ne remplit plus sa promesse de protection et de projection des valeurs et de l'influence de ses États membres. Elle est présentée par tous les politiciens comme la cause des problèmes et jamais comme leur solution.

Cependant, la zone euro manque encore des instruments adéquats au bon fonctionnement d'une zone monétaire : budget central financé par un impôt commun, union des capitaux achevée, politique économique coordonnée, capacité d'emprunter sur le marché mondial. Et en l'absence de péréquation conjoncturelle entre États *via* des stimuli financés par un budget et une dette centrale, on ne compte plus les gouvernements tombés depuis 2010 pour ne pas avoir su gérer leur dette publique. Enfin, ce renforcement considérable des pouvoirs exercés au niveau central dans la zone euro n'a pas été accompagné de contrôles démocratiques adéquats : il n'y a pas de parlement de la zone euro, et le Parlement européen est tenu largement à l'écart des plans d'assistance financière et de la gouvernance macroéconomique et budgétaire.

À cela s'est ajoutée la crise des réfugiés, où chacun joue sa propre partie, oubliant que notre frontière commune serait plus facile à défendre que la totalité des frontières entre chacun des États membres de l'Union.

Ces faiblesses entraînent la remise en cause de l'idée même d'Union européenne, et des risques de désagrégation avec les tentations du « Grexit », du « Brexit ». Et même, pour certains, du « Fraxit ».

Pourtant, le besoin de réponses communes des Européens est plus fort que jamais : la fragilité de la situation géopolitique aux frontières européennes, la menace terroriste, les migrations vers l'Union, les risques globaux d'instabilité macroéconomique et financière, la déstabilisation de l'Afrique et du Moyen-Orient, le réchauffement climatique sont autant de préoccupations que partagent les États européens et qui dépassent les moyens de chacun d'entre eux pris isolément, même les plus influents comme la France ou l'Allemagne.

Dans un monde dans lequel ont émergé des pays-continents tels que les États-Unis, la Russie, la Chine, l'Inde ou le Brésil, l'Union européenne, forte de plus de 500 millions d'habitants, de son statut de première puissance commerciale au monde, de ses armées, aurait les moyens, si elle se rassemblait davantage, de défendre les intérêts et les valeurs de ses citoyens et de ses États membres.

En particulier, la France aurait tout à gagner à mettre ses forces en commun avec celles de ses voisins européens. Pour retrouver de la croissance et de l'emploi, pour maîtriser ses frontières et stabiliser son environnement.

De plus, l'Europe ne s'arrête pas aux frontières actuelles de l'Union. Il est essentiel de penser nos voisins de l'Est européens, de la Turquie à la Russie, comme des alliés potentiels et non comme des ennemis. Avoir isolé la Turquie a conduit au pire. Il faut éviter de faire de même avec la Russie. Notre avenir sera plus sûr avec un continent tout entier rassemblé.

Il faudra pour cela porter, par la voix du futur président de la République, les idées suivantes.

PROPOSITIONS

AXE 1 : RESTAURER LE SENTIMENT EUROPÉEN EN FRANCE

– **Instituer un ministre des Affaires européennes fort et autonome** (c'est-à-dire surtout pas, comme à l'heure actuelle, sous l'autorité du ministre des Affaires étrangères), ayant autorité sur la direction de l'Union européenne du Quai d'Orsay, le secrétariat général aux Affaires européennes, et les services du ministère de l'Économie et des Finances en charge des affaires européennes.

– Systématiser, sur l'exemple allemand, une consultation du Parlement français avant les négociations importantes, afin d'obtenir un mandat clair.

– Œuvrer pour un renforcement de l'« *accountability* » des décisions de l'Union européenne auprès des peuples européens.

– Instituer un volontariat international en entreprise (VIE) européen.

– Redéfinir des projets franco-allemands en matière de budget, de sécurité et de défense.

– Expliquer en permanence à l'opinion que l'Union peut et doit résoudre les crises actuelles, et en particulier celle des réfugiés, mieux que chaque État séparément.

– Renforcer l'aide humanitaire dans les pays voisins de l'Union (aide d'urgence et de moyen terme : scolarisation, accès au marché du travail), en particulier au Liban, où les conditions de vie des réfugiés deviennent dramatiques, ce qui est la raison essentielle des départs et des traversées. Des camps d'accueil financés par l'UE peuvent également être déployés en Turquie.

– Sanctionner véritablement – et pas seulement en théorie – les États européens dont les politiques et les comportements sont incompatibles avec les valeurs inscrites dans les traités européens (par exemple, la construction d'un mur de barbelés de 175 kilomètres par la Hongrie à la frontière avec la Serbie, puis avec la Croatie).

– Prévoir un mécanisme européen plus massif de réinstallations de réfugiés dans les pays de l'Union. 150 000 réinstallations dans toute l'UE seraient un minimum (l'Allemagne en a fait 20 000 de sa propre initiative à ce stade, la France seulement 1 000).

AXE 2 : REDONNER UNE VISION DE LONG TERME
À LA CONSTRUCTION EUROPÉENNE, EN ASSUMANT
LA DISTINCTION ENTRE L'UNION EUROPÉENNE ET LA ZONE EURO

Il faut désormais prendre acte qu'il s'agit de deux ensembles ayant des destinées différentes, et que l'entrée dans l'Union européenne n'est pas nécessairement un préalable à l'entrée dans la zone euro, qui aurait comme vocation, avec tous ses membres ou certains d'entre eux, d'aller vers un destin plus fédéral.

Renforcer l'Union européenne

L'Union regrouperait les États qui, à l'instar du Royaume-Uni, souhaitent participer au grand marché européen (ce qui, concrètement, signifie harmoniser les réglementations portant sur les produits et les services), sans souhaiter pour autant partager leurs compétences et leurs moyens avec les autres États dans un ensemble ayant une vocation politique.

– **Élire les députés européens français au scrutin uninominal à deux tours** et non plus au scrutin de liste afin de permettre un débat continu avec les citoyens.
– **Renforcer le Conseil européen comme instance décisionnaire.** Les formations du Conseil de l'Union européenne, de la Commission et du Parlement européen seraient chargées de préparer les législations. La politique commerciale commune (difficilement dissociable du marché unique) et la politique extérieure et de sécurité commune (peu intégrée) demeureraient deux des compétences de l'Union européenne en évoluant vers des décisions majoritaires et non à l'unanimité.
– **Maintenir le budget de l'Union**, et notamment sa politique de cohésion visant à favoriser le rattrapage des États membres moins développés. Il favoriserait la subsidiarité et la propor-

tionnalité des législations adoptées et abandonnerait toute forme de coordination des politiques budgétaires, économiques et sociales des États membres.

– Relancer l'idée d'un grand plan européen de transition énergétique des bâtiments et créer une agence européenne pour le financement de la transition énergétique.

– Développer massivement les moyens de Frontex, pour en faire une « agence de la sécurité européenne », financée par un point de TVA.

– Reconstruire le cadre d'action de la politique agricole commune pour répondre aux enjeux de soutenabilité, en tenant compte des enjeux de la sécurité alimentaire.

– Supprimer l'automaticité du passage de l'Union à la zone euro, contrairement à ce que prévoient actuellement les traités européens (l'ensemble des États de l'Union, au moment où ils remplissent les critères de Maastricht, ont en effet l'obligation d'adhérer à la zone euro, à l'exception du Royaume-Uni et du Danemark, qui ont nommément demandé une dérogation, ce que l'on appelle dans le jargon européen un « opt-out »).

Renforcer la zone euro

La zone euro devrait former un ensemble beaucoup plus intégré, prêt à mettre en commun davantage de moyens et de compétences en raison de la proximité des États, de leur ressemblance et de leur communauté d'intérêts.

– Créer un parlement de la zone euro : la chambre parlementaire de la zone euro serait composée des membres du Parlement européen issus de la zone euro et de représentants des parlements nationaux.

– Doter la zone euro d'un véritable budget, géré par un « gouvernement » : un budget de petite taille, par exemple à hauteur de 2 points de PIB, suffirait à exercer une action puissante, s'il avait les caractéristiques suivantes : une capacité d'endettement et des composantes fortement cycliques en recettes (impôt sur les sociétés harmonisé) et en dépenses (politique de l'emploi et utilisation discrétionnaire). Ce « Budget » de la zone euro, accompagné par des mesures de rapprochement (de rapprochement, pas nécessairement d'harmonisation) des données qui influent sur les décisions d'investissement, c'est-à-dire principalement de certains outils de la fiscalité, pourrait refinancer les États. Exemple : la France a une dette de 100 % du PNB. Elle s'engage à revenir sur cinq ans à 80 %, soit 4 % de moins par an. Si elle tient le cap, le Trésor européen pourrait refinancer en son nom l'équivalent de 50 % du gain annuel, soit 2 %.

– Un tel budget pourrait financer **un plan de relance global** par un emprunt doté d'une signature bien plus solide que celle de chaque État membre pris isolément, même l'Allemagne.

– **Réserver une part de ce budget pour aider les États membres de la zone euro à mener des politiques ambitieuses et des réformes structurelles.**

Un tel budget serait placé sous l'autorité d'un « gouvernement » de la zone euro nommé par le Parlement de la zone euro. Au lieu de suivre des objectifs quantitatifs annuels, chaque pays membre s'engagerait à mener sur trois ou cinq ans une série de réformes ambitieuses ayant des impacts budgétaires positifs. Si le gouvernement de la zone euro estime que ces objectifs sont cohérents avec la stratégie globale de la zone euro, il pourrait débloquer chaque année pour chaque pays des financements en soutien à ces réformes en fonction des avancées constatées.

– **Un service public de l'emploi de zone euro conduirait des actions complémentaires à celles des services publics nationaux** : cours de langue ; aide à la recherche d'un emploi dans un autre État membre (aides pour remplir les procédures fiscales et sociales).

– **Un socle minimal de protection sociale en zone euro** (un salaire minimum fixé en proportion du revenu médian de chaque État et des règles élémentaires communes en matière de licenciement) permettrait de limiter la concurrence déloyale des travailleurs de la zone.

– Créer une possibilité, pour la zone euro, d'« évocation » des sujets qui relèvent de l'Union européenne dans son ensemble quand celle-ci est incapable de parvenir à une décision. Par exemple, en cas de désaccord dans l'Union à 28 sur les mécanismes d'accueil des réfugiés ou sur une politique de transition énergétique, le gouvernement de la zone euro pourrait développer des politiques propres à l'intérieur de son espace.

De même, si l'Union échoue à le faire, lancer, dans la zone euro, **le projet d'une Europe de la sécurité et de la défense**, qui rassemblerait les moyens de Frontex et de l'Agence européenne de défense.

AXE 3 : TRAITER NOS VOISINS EUROPÉENS
COMME DES FRÈRES DE L'UNION

Tout en restant sur nos gardes, en cas de dérapage agressif, nous aurions tout intérêt à maintenir les conditions d'une relation pacifique, amicale, fraternelle, avec nos voisins ; tels les Ukrainiens, les Russes, les Turcs, qui doivent tous avoir une place privilégiée dans la politique de voisinage de l'Union. Il faut donc renforcer les institutions où l'on se retrouve avec eux. Et ne pas sombrer dans une méfiance inutile, à laquelle peuvent nous pousser les institutions militaires auxquelles nous appartenons, telle l'OTAN.

10

Politique industrielle
et aide au développement des entreprises

Quelle « main visible » pour l'action de l'État dans
l'économie ?

L'avenir est à l'industrie. Et les grandes puissances de demain
seront d'abord et avant tout des puissances industrielles.
Contrairement aux discours dominants, le monde n'entre pas
dans une ère post-industrielle, mais hyper-industrielle. C'est
dans l'industrie que se trouvent les plus grands gisements de
productivité, d'innovation, d'amélioration du pouvoir d'achat
et des conditions de travail. Et des pans entiers de services,
de la santé à l'éducation, vont basculer dans l'industrie, par
l'émergence de nouveaux robots, de nouvelles machines, et par
bien des transformations des rapports de l'homme à la nature.

Or, voilà plus de trente ans que l'industrie française décline :
certes nous sommes encore puissants dans le secteur du luxe,
des commandes publiques, du tourisme, des transports et de
la banque, avec d'extraordinaires pépites et des entrepreneurs
nouveaux, de plus en plus nombreux. Mais les parts de marché
de l'industrie française régressent ; le rapport qualité-prix des
produits français se détériore, du moins aux yeux de beaucoup
de nos partenaires commerciaux, qui préfèrent acheter le même
produit à un de nos concurrents ; notre balance commerciale,

pour les produits industriels, est plus déficitaire que jamais. Les entreprises de taille intermédiaire (ETI), qui devraient être le cœur de notre économie, ne sont que 5 000 environ en France contre 12 000 en Allemagne.

Les ouvriers, qui représentent plus de 6,3 millions de salariés, soit presque le quart de la population active française, ont traversé des périodes très difficiles, des transformations déstabilisantes de leurs modes de travail et de vie, vers plus de précarité, et moins de loyauté ; ils se sentent souvent abandonnés, alors même qu'ils ont, par leur travail, concouru à faire émerger tous les champions industriels du pays.

Aujourd'hui, le financement bancaire, qui représente 80 % du financement des entreprises, n'est pas adapté au besoin de l'innovation ni au financement en fonds propres des entreprises en croissance.

Même s'il y a de nombreuses exceptions, les entreprises françaises ont connu depuis une vingtaine d'années une forte érosion de leurs marges, qui s'élevaient, pour les sociétés non financières, à 29,4 % en 2014[1], alors qu'elles n'étaient pas passées sous les 30 % depuis 1986, y compris en 2009, au plus dur de la crise. À titre de comparaison, la moyenne européenne est à 37 %, et l'Allemagne est à 40 %. Ces faibles marges affaiblissent la confiance en l'avenir, et freinent la création d'emplois.

En outre, les dernières grandes entreprises dites françaises le sont de moins en moins : leur actionnariat ne l'est plus majoritairement ; elles ne font plus qu'une faible part de leur chiffre d'affaires en France ; les Français constituent une part minoritaire de leur personnel, même dirigeant. Ne restent en France que leurs centres de décision, qui peuvent bouger très vite. Lorsque ce sera le cas, la France ne sera plus le dernier pays où ces entreprises licencieront.

Tout cela n'est pas de la responsabilité de l'État, qui ne peut se substituer aux entrepreneurs ; il est totalement illusoire de

1. Insee.

penser que l'État pourrait désigner d'avance des secteurs, des technologies, ou des entreprises qui domineront le marché demain. Il doit se borner à créer un terreau favorable à l'éclosion des entreprises et de l'industrie.

Plutôt que stratège, donc, l'État doit être « jardinier », pour reprendre l'expression du professeur Emmanuel Combe. Alors que l'État stratège est autant flamboyant qu'il est erratique, l'État jardinier, lui, est modeste et appliqué, et entretient chaque jour un terreau économique favorable à l'éclosion d'innovations et de nouveaux géants : il s'applique à améliorer l'adéquation entre les qualifications de la demande de travail et de l'offre de travail par la formation, à créer un terreau incitatif pour la recherche-développement ; il préserve les jeunes pousses de la proximité des grands arbres, grâce à une politique de la concurrence adaptée ; il empêche les abus de position dominante qui évincent du marché de nouveaux acteurs innovant sur le plan technologique ou commercial ; il arrache les plantes fanées par un droit des faillites efficace. Il favorise les restructurations et le dynamisme technologique plutôt que de faire vivre sous oxygène des secteurs dépassés.

Il suppose de mettre en place un environnement juridique stable, un système fiscal rationnel, un cadre de vie attirant pour les salariés et leurs familles.

Les actions de l'État peuvent se concentrer sur des filières dites « d'avenir », telles que la santé, l'environnement et l'énergie, et les technologies d'avenir que sont le numérique, les biotechnologies, les nanotechnologies et les neurosciences ; sans non plus s'y résumer.

On trouvera ci-dessous quelques propositions spécifiques pour répondre à ces défis. On en trouvera d'autres dans les chapitres portant sur la recherche, la fiscalité et le social.

PROPOSITIONS

AXE 1 : ATTIRER LES TALENTS ÉTRANGERS

– Faciliter l'implantation en France des talents étrangers, *via* une politique active en matière de visas. Tout étranger signataire d'un contrat de travail bénéficiant d'une rémunération de plus de 2,5 fois le SMIC recevra un visa de travail automatique d'un service de la préfecture chargé d'attirer les talents.
– Améliorer le statut des « impatriés », afin de permettre à de nouveaux résidents en France de n'être taxés pendant dix ans que sur leurs revenus de source française.

AXE 2 : CULTIVER NOTRE TERREAU

– Mettre en place l'équivalent de ce que représente le *Bayh Dol Act*, loi américaine majeure sur les brevets, pour favoriser la valorisation industrielle de la recherche universitaire.
– Réformer le droit des faillites sur le modèle du Chapter 11 américain, pour assurer une protection plus forte des droits des créanciers. En matière de faillites, le droit français ne protège pas assez les créanciers, qui sont pourtant les premiers financeurs des entreprises. Il convient de réduire les barrières au financement par endettement à l'aide d'un droit des faillites plus favorable aux créanciers, qui permettrait des renégociations de dettes rapides et peu coûteuses en termes d'emploi.

AXE 3 : FAVORISER LE DÉVELOPPEMENT DE PME ET D'ETI

– Simplifier et numériser les procédures pesant sur les PME.
– Pour améliorer le statut « chercheur-entrepreneur » :

- Réduire les barrières à l'entrée en matière de répartition du capital entre chercheur et entrepreneur.
- Appliquer le congé pour création ou reprise d'entreprise à un projet dans un laboratoire de recherche académique.

– Promouvoir des facilités de financement pour les entreprises d'innovation : des prêts que la start-up rembourse de manière mensuelle en fonction de son chiffre d'affaires.

– Offrir un cadre juridique propice à l'innovation et aux partenariats entre start-up et grands groupes :

- Étendre les fonctions du médiateur interentreprises à tous les types de relations entre entreprises (et non seulement aux relations client-fournisseur).
- Intégrer dans les critères de RSE des entreprises le soutien à l'innovation ouverte et libre (par exemple, un pourcentage de chiffre d'affaires utilisé pour soutenir l'*open source*, investir dans l'innovation ouverte, etc.). Les modèles économiques provenant de l'innovation agile, de l'*open source* ont en effet des externalités économiques et sociales positives.
- Mettre fin à l'insécurité fiscale qui entoure les plus-values réalisées par des salariés dirigeants sur les titres de leur entreprise, afin que celles-ci soient taxées à un taux d'environ 30 % (actions gratuites, *carried interest*, etc.).

– Bâtir un Nasdaq européen qui aurait son siège à Paris. Pour construire un écosystème permettant aux start-up de trouver des stratégies de sortie et/ou de passage du capital amorçage au capital investissement. Si les entreprises innovantes vont se coter au Nasdaq, c'est qu'il existe tout un écosystème qui s'est construit autour, avec des investisseurs, des analystes, qui ont eu la capacité de comprendre et valoriser ces modèles économiques technologiques nouveaux. La France l'a fait dans un domaine précis ces dernières années, les biotechnologies. Ces efforts de l'État ont permis à la Bourse de Paris de devenir une référence internationale dans ce domaine. Ce modèle à succès est à répliquer autour des nouvelles technologies du numérique.

11

La fiscalité :
refondre, clarifier, simplifier

La fiscalité française est devenue illisible. Depuis vingt ans, le législateur n'a pas cessé de défaire ce qui a été mis en place les années qui précédaient. Depuis 2011, l'insécurité fiscale menace tous les acteurs économiques : salariés, consommateurs, épargnants-retraités, impatriés, expatriés, employeurs à domicile, grandes entreprises, PME, créateurs, commerciaux.

La complexité de la fiscalité fait l'affaire d'un grand nombre d'acteurs, des élus aux spécialistes, des fonctionnaires aux vendeurs de produits à fiscalité particulière : compagnies d'assurance-vie, banques, fonds, promoteurs immobiliers, et d'autres sigles indigestes.

La complexité du système fiscal français est génératrice d'idées fausses, qu'il est nécessaire de combattre, pour établir un bon diagnostic et formuler des propositions de réformes adaptées. Nous avons recensé pas moins de douze erreurs à rectifier :

1. Première erreur : « les impôts sont élevés en France parce que l'État coûte cher ».

Même s'il y a de grands gaspillages dans l'État, les prélèvements obligatoires servent surtout à financer des transferts sociaux, la Sécurité sociale et les collectivités territoriales. Les services rendus par l'État sont en général peu coûteux quand on les compare à leurs équivalents étrangers.

2. Deuxième erreur : « on peut réduire les déficits sans réduire le pouvoir d'achat de qui que ce soit ».

Réduire les déficits suppose d'augmenter les impôts ou de réduire les dépenses. Or il n'y a ni une dépense publique qui ne soit un revenu d'un Français, ni un impôt qui ne pèse, directement ou indirectement, sur un citoyen.

3. Troisième erreur : « les cotisations sociales "employeurs" sont payées par les patrons ».

En fait, elles sont payées par les salariés car les entreprises reportent le coût complet des salariés (salaire brut + cotisations sociales employeurs, ou salaire immédiat + salaire différé) sur leur prix de vente. Et si on augmente les contributions sociales employeurs, les employeurs réduisent d'autant les augmentations de salaires. Inversement, les allègements de cotisations sociales employeurs sont répercutés en hausse de salaire dans la partie de l'économie qui est au plein emploi (tous les salaires au-dessus de deux fois le SMIC). C'est bien pour cela que les allègements de charges n'ont d'effet sur l'emploi que s'ils sont concentrés sur les bas salaires.

4. Quatrième erreur : « les gagnants de ce système de forte imposition du travail sont les entreprises ».

En fait, ce sont les inactifs.

5. Cinquième erreur : « les 50 % des salariés les moins payés sont exonérés d'impôt sur le revenu ».

Non. Ils paient en fait la CSG (qui rapporte 100 milliards d'euros – contre 70 pour l'impôt sur le revenu).

6. Sixième erreur : « les hauts revenus sont très pénalisés en France ».

Ils ne le sont en fait qu'au-dessus de 1 million d'euros par an. Au total, il y a beaucoup plus de gens qui protestent contre l'impôt sur le revenu et l'impôt sur la fortune que de gens qui les paient. Il y a davantage de gens qui s'expatrient que de gens qui ont un intérêt fiscal à s'expatrier, en particulier chez les jeunes.

7. Septième erreur : « la fiscalité française est faite de charges et de prélèvements obligatoires ».

Ces mots, à connotation très négative, désignent en fait pour l'essentiel le financement assurantiel de services et s'apparentent davantage à des primes d'assurance qu'à des « charges ».

8. Huitième erreur : « l'impôt sur la fortune est une spécificité française ».

Non, il existe dans beaucoup de pays, sur une assiette plus limitée, sous le nom de « taxe foncière » (*property tax*).

9. Neuvième erreur : « la France est un enfer fiscal pour les riches ».

Non, pas pour tous ! Et beaucoup d'entre eux n'ont pas intérêt à s'expatrier. Pour certains rentiers, la France est même un paradis !

10. Dixième erreur : « les grandes sociétés du CAC 40 ne paient pas l'impôt sur les sociétés comme les autres ».

C'est faux. Elles paient sur tous leurs résultats en France.

11. Onzième erreur : « la solution miracle pour assainir la fiscalité française serait de supprimer les niches fiscales ».

En fait, réduire les niches équivaut à augmenter les impôts. Le crédit impôt-recherche (CIR), par exemple, n'est pas une niche fiscale et doit être intégré dans les règles de calcul de l'assiette.

12. Douzième erreur : « la TVA est élevée et ne peut augmenter car elle augmente l'inflation et pèse sur les plus pauvres ».

En fait, elle est basse, relativement aux taux dans les pays voisins. Et peut être d'autant plus facilement augmentée que l'inflation est nulle et que la concurrence interdit de la répercuter sur les prix.

Une fois ces vérités rétablies, on peut formuler des propositions ambitieuses, fondées sur cinq grands principes :

- **Prévisibilité** : il s'agit de fixer les règles du jeu (taux, assiette) en début de quinquennat et de s'y tenir pendant cinq ans, sans versatilité.
- **Simplicité** : il concerne à la fois le nombre de taux pour chaque impôt, le nombre de possibilités d'exonération, la structure de la feuille de paie ou encore la présentation de la loi de finance.
- **Honnêteté intellectuelle** : il ne faut pas « vendre » une politique fiscale en faisant croire à des effets miraculeux sur l'emploi et l'innovation.
- **Citoyenneté** : la fiscalité est aussi un outil de solidarité entre citoyens, et entre citoyen et bien public. Ce lien doit être restauré. C'est aussi grâce à ce lien que la confiance en l'impôt, condition indispensable à l'efficacité et à l'acceptabilité d'une politique fiscale, saura renaître.
- **Efficacité** : une fiscalité qui encourage la création de richesses et d'emplois.

PROPOSITIONS

AXE 1 : 4 CHANGEMENTS DE STRUCTURE
POUR Y VOIR PLUS CLAIR

- **Changer la feuille de paie.**

Quand tout sera prélevé automatiquement et directement, il n'y aura plus aucune différence entre impôt sur le revenu, CSG, cotisations sociales salariés, et même cotisations sociales employeurs, puisque ce sont les salariés qui les paient. Pour que chacun mesure le coût des services publics, il convient d'ajouter les contributions sociales employeurs au salaire, et de les prélever à la source en les distinguant par grandes fonctions : maladie, retraite, chômage, fonctions étatiques.

– Changer la présentation de la loi de finance.

Il n'y a pas des « impôts sur les ménages » et des « impôts sur les entreprises » (formulation désastreuse qui empêche tout ajustement dans le sens de la compétitivité). Il y a d'une part des impôts sur le travail et l'emploi, d'autre part des impôts sur les bénéfices et les investissements, et enfin des impôts sur la consommation.

– Nationaliser la Sécurité sociale.

Les transferts entre le budget de l'État et celui de la Sécurité sociale sont devenus illisibles, de même que la frontière entre ce qui ressortit à l'assurance et ce qui relève de la solidarité. La gestion par les partenaires sociaux est un mensonge : c'est l'État qui est responsable des équilibres de notre système social, et c'est le Parlement qui vote les cotisations sociales. La seule frontière pertinente est donc celle entre l'assurance obligatoire et l'assurance facultative. Toute assurance obligatoire doit donc être décidée par le Parlement et gérée par l'État.

– Encadrer la liberté de dépense des collectivités locales et établissements publics.

Les dérapages en dépenses des collectivités locales ne leur sont pas assez « attribués » par les électeurs. Il est souhaitable de modifier la règle de compétence générale, d'attribuer plus clairement les impôts, et de restructurer les collectivités territoriales, pour mettre fin à leur gabegie financière. Cela implique une modification constitutionnelle.

AXE 2 : RÉÉQUILIBRER L'ENSEMBLE DU SYSTÈME
ET FAIRE BAISSER LES IMPÔTS RESSENTIS

A. Baisser l'imposition totale du travail
– Fêter le passage à la retenue de l'impôt sur le revenu à la source par un « jubilé fiscal ».

Annoncer aux Français qu'il n'y aura pas d'impôt en 2018, l'année de la transition, sauf 10 % de *flat tax* sur l'exceptionnel. Cela ne coûterait rien, puisque l'État est éternel et a une comptabilité d'encaissement. Et cela constituerait un gigantesque coup de fouet à l'activité. Il faudra accepter que tout le monde optimise ses revenus en les augmentant lors de l'année « oubliée » ; plus de bonus, plus de dividendes exceptionnels versés, plus d'assurances-vie dénouées, plus de plus-values immobilières réalisées, plus de mobilité économique, plus d'entreprises vendues et de plus-values latentes réalisées.

Ce sera un vrai cadeau pour certains, en particulier pour les contribuables qui subissent une baisse significative de leurs revenus l'année de leur passage à la retraite.

Une seule exception : on appliquera une taxe forfaitaire sur tous les revenus supérieurs au revenu moyen des trois derniers exercices du même contribuable.

– **Remplacer le quotient familial par une déduction égale pour tous et multiple du nombre d'enfants, la même pour chaque enfant et pour un coût budgétaire équivalent.**

– **Réduire les impôts et charges sur le revenu sur le bas et le milieu de barème.** Il faut continuer à réduire les charges totales sur le travail pour les salaires les moins élevés, sans augmenter le SMIC net au-delà de l'inflation. La bosse de progressivité doit être lissée entre 1,5 et 3 SMIC. Le financement sera assuré par une hausse de la TVA évoquée plus loin.

B. Aménager la fiscalité de l'épargne et du capital

– **Remplacer l'impôt sur la fortune par un impôt immobilier** avec une exonération pour les petits et moyens patrimoines.

– **Supprimer tous les avantages fiscaux** de type successoral ou exonération d'IRPP sur tous les produits d'épargne (ex : assurance-vie) qui ne comprennent pas 5-10 % de private equity et 0,5-1 % de capital-risque.

– **Recentrer sur trois taux la fiscalité de l'épargne :** autour de 20 % pour les livrets réglementés, plans épargne en actions (PEA), fonds communs de placement à risque (FCPR), lignes d'actions détenues en direct plus de huit ans, contrats

d'assurance-vie investis à plus de 50 % en unités de compte-actions sur plus de huit ans ; autour de 35 % pour les CEL, PEL, assurance-vie en euros ou unités de compte-non actions après huit ans de détention ; au taux IR + CSG pour le reste.
– Exonérer davantage de droits les donations, pour permettre une transmission plus rapide des patrimoines.

C. Augmenter de deux points la TVA sur cinq ans répartis sur tous les taux, en compensant cela par une baisse équivalente évoquée plus haut des impôts sur le revenu et cotisations sociales.

D. Réduire le poids de l'impôt sur les sociétés d'environ un quart, pour rattraper nos voisins européens.

12

Le travail et l'emploi : se former, pour travailler

Le budget de la formation continue
est versé aux chômeurs… à hauteur de 2 % !

La France a fait le choix d'accepter d'avoir des chômeurs nombreux et bien payés, alors que la plupart des autres pays ont choisi d'avoir des travailleurs nombreux et mal payés. La France est d'ailleurs le pays où les dépenses publiques pour les chômeurs sont les plus élevées au monde. En raison de ce choix, en France, le chômage est structurellement élevé, supérieur à 8 % depuis deux décennies, et il varie peu avec les cycles économiques.

Le chômage concerne surtout les moins de 30 ans : 25 % le sont, soit plus de deux fois plus que le reste de la population active. Il concerne surtout les jeunes mal formés : 2 millions de jeunes de 15 à 29 ans ne sont ni à l'école, ni en formation, ni en emploi.

Le chômage touche de manière prépondérante les moins qualifiés : ceux n'ayant pas de diplôme ont un taux de chômage cinq fois plus élevé que les diplômés de l'enseignement supérieur. Quand le revenu net est supérieur à 1 650 euros par mois, le taux de chômage moyen tombe à 5,8 %.

Le chômage est également principalement de longue durée : il concerne environ 40 % des demandeurs d'emploi. Et surtout ceux qui sont sans formation et âgés : 48 % des chômeurs sans diplôme sont chômeurs de longue durée, contre moins de 36 % des chômeurs ayant au moins un niveau bac +3. Plus de 8,5 % des actifs sans diplôme sont chômeurs de longue durée, contre moins de 2,8 % des actifs ayant au moins un niveau bac +3. 63 % des chômeurs de 55-65 ans sont chômeurs de longue durée, contre moins de 27 % des chômeurs de 18-25 ans. Il existe par ailleurs de fortes disparités régionales, notamment pour les actifs sans diplôme : 14,5 % d'entre eux sont chômeurs de longue durée dans le Nord, contre moins de 7,5 % dans des régions comme l'Île-de-France, l'Ouest, ou Rhône-Alpes-Jura-Doubs. Enfin, le chômage de longue durée intensifie les difficultés sociales, en affectant davantage les individus qui auront moins de facilité à en sortir. La part des chômeurs de longue durée parmi les chômeurs est ainsi particulièrement élevée au sein des familles monoparentales : elle atteint 41 %, même avec un niveau d'éducation au moins égal à bac +3.

Le dialogue social au sein de l'entreprise est très peu développé en France. Le taux de syndicalisation s'inscrit parmi les plus faibles des pays développés.

Ceux qui réussissent, en raison de leurs diplômes ou de leur entrée dans la fonction publique, à obtenir un CDI entrent dans un monde où le chômage est pratiquement absent. Le taux de transition, en France, d'un CDD à un CDI est autour de 10 %, alors qu'il dépasse les 40 % en Allemagne. La moyenne de l'Union européenne s'établit à 28 %.

La difficulté de licencier est souvent paradoxalement présentée comme le principal obstacle au recrutement. Il est certain que l'imprévisibilité du coût d'un licenciement est un obstacle à l'embauche, mais il n'est pas le principal obstacle : c'est l'insuffisance de formation, puisque les travailleurs bien formés trouvent en général aisément des emplois.

Au total, les travailleurs peu formés n'ont aucune chance de trouver un CDI, alors que ceux qui sont formés ont beaucoup moins de mal à changer de fonction, ou à créer leur propre emploi en améliorant à la fois leurs revenus et la qualité de leur travail.

La solution réside donc dans l'articulation entre formation et flexibilité.

La formation professionnelle, qui devrait bénéficier avant tout aux non-qualifiés et aux plus de 40 ans, ne les concerne pourtant que très peu. Elle n'est donc ni équitable, ni efficace. Elle est pléthorique et insuffisamment évaluée : on dénombre 58 000 prestataires de formation. Alors que le coût d'une heure de formation professionnelle en France est supérieur de 35 % à la moyenne de l'Union européenne, elle bénéficie majoritairement aux salariés qualifiés des grands groupes, alors qu'elle est largement financée par le PME et ETI, et qu'elle devrait être proposée prioritairement aux chômeurs. Elle bénéficie globalement aux individus jugés le plus productifs (un salarié diplômé du supérieur a 34 % de chances de suivre une formation, contre 10 % pour un salarié sans diplôme). Les formations destinées aux moins qualifiés donnant accès à un diplôme ou à un titre professionnel ne représentent que 2,3 % du chiffre d'affaires des prestataires de formation.

La loi du 5 mars 2014 visait à transformer l'obligation de dépenser en obligation de former, ce qui devait transformer les OPCA (organismes paritaires collecteurs agréés) en offreurs de services, et non plus seulement en collecteurs de fonds. Cette loi crée aussi le compte personnel de formation (CPF), en remplacement du droit individuel à la formation (DIF) pour accroître l'autonomie des usagers.

Mais cette loi, trop complexe, reste un échec. Le CPF ouvre droit au même nombre d'heures de formation à tous les salariés, alors que les besoins divergent grandement ; il ne permet d'obtenir que 150 heures de formation sur huit ans, ce qui est dérisoire, alors qu'une formation qualifiante exige en moyenne 400 heures sur un an. Et même à ce faible niveau, son financement n'est pas assuré : son coût est estimé à 6 milliards d'euros par an, alors que les ressources allouées ne dépassent pas 1 milliard d'euros. Et la part dans l'enveloppe globale de la formation des ressources affectées à la formation professionnelle des demandeurs d'emploi passe dans cette loi de 2 % à 3 % ! Enfin, presque aucune formation n'est offerte pour préparer les chômeurs à la création d'entreprise.

Toute réforme de la formation professionnelle se heurte à de nombreux obstacles, et notamment aux réticences des parties prenantes : les syndicats, qui craignent une individualisation du marché du travail ; les salariés, qui l'associent au licenciement et à la reconversion ; les employeurs, qui ne souhaitent pas financer un capital humain qui bénéficiera à d'autres entreprises ; les régions, qui en ont pris le contrôle. Bien des rapports récents ont ouvert les voies.

Il faut donc mener de front la réforme du marché du travail et de la formation professionnelle. La flexibilité et la sécurité. L'une est la condition du succès de l'autre. La tentative des gouvernements successifs depuis quinze ans, sous pression du patronat et des syndicats, de négocier de la flexibilité sans accepter de former les chômeurs est vouée à l'échec. La réduction du chômage, en France, viendra du retour de la croissance et de la formation des chômeurs.

Il faut donc, pour lutter contre le chômage, dans un monde où la formation est devenue clé, assurer plus de formation des chômeurs avec plus de flexibilité du travail, et pour cela reconnaître la formation comme une activité socialement utile, méritant rémunération.

PROPOSITIONS

AXE 1 : FORMER MIEUX CEUX QUI TRAVAILLENT
OU CHERCHENT UN TRAVAIL

– **Accorder un contrat d'évolution** à tout demandeur d'emploi entreprenant les actions de formation longue et de qualification. Ce contrat donnera droit à un « revenu d'évolution » se substituant pendant un an à l'allocation chômage et supérieur à celle-ci. Pour financer cette révolution, affecter aux comptes personnels d'activité (CPA) des chômeurs ainsi formés une bien plus grande partie des fonds de la formation professionnelle (actuellement 600 millions, qui vont passer à 900 millions sur 32 milliards).

– **Faire respecter l'obligation de formation des salariés les moins qualifiés**, qui existe déjà dans le Code du travail.

– **Abonder de 100 heures de formation « consommables »** à tout moment le CPA à partir de 45 ans pour favoriser l'employabilité et pour les jeunes peu qualifiés.

– **Supprimer la filière senior de l'assurance chômage**, qui les éloigne de l'emploi.

– **Supprimer le rôle de collecte des OPCA**[1] pour les recentrer sur les actions de conseil aux entreprises et d'accompagnement des travailleurs. Les OPCA perçoivent environ 1 % de la masse salariale totale des entreprises, soit 16 % des 32 milliards de la formation professionnelle.

– **Financer le CPA par les ressources des OPCA.** Une relation directe entre les individus et les prestataires pourrait stimuler la concurrence entre ces derniers et permettre le développement des formations en ligne.

– **Accroître le financement par les entreprises du CPA et le rendre inversement proportionnel au salaire**, pour que les

_____

1. Organisme paritaire collecteur agréé.

salariés au niveau du SMIC accumulent plus de droits que les cadres.

– Mettre en place une certification exigeante des organismes de formation pour en réduire le nombre et augmenter leur efficacité, avec un renouvellement tous les cinq ans et des critères fondés sur l'insertion et le devenir des stagiaires.

– Mieux former tous les chômeurs à la création d'entreprise.

AXE 2 : FACILITER LE PASSAGE DE L'EMPLOI À LA FORMATION

– Favoriser la mobilité de la population active, en transformant le prêt à taux zéro (PTZ) en un prêt en cas de mobilité géographique pour les propriétaires.

– Flexibiliser les contraintes en matière de temps de travail dans les entreprises. La durée effective annuelle de travail des salariés à temps plein est en France la plus faible (après la Finlande) de tous les pays européens : 1 661 heures en 2013, soit 186 heures de moins que l'Allemagne, 120 heures de moins que l'Italie et 239 heures de moins que le Royaume-Uni.

– Donner plus de marge de manœuvre à la négociation collective au niveau de l'entreprise, en diminuant de 25 % à 10 % la majoration minimale pour les heures supplémentaires.

– Donner aux entreprises la possibilité de remonter jusqu'à 40 heures le seuil de déclenchement des heures supplémentaires (avec un allègement de l'impôt sur le revenu sur les heures travaillées au-delà de 35 heures).

– Accroître le forfait de 218 jours travaillés des cadres au forfait, dont la hausse moyenne de 11 jours du nombre de jours non travaillés a pu diminuer fortement notre compétitivité, les entreprises proposant une participation accrue aux résultats en contrepartie et une limitation de la durée quotidienne de travail.

– Responsabiliser les entreprises par une modulation des cotisations d'assurance chômage en fonction de l'historique de licenciement (*experience rating*).

– Barémiser l'indemnité conventionnelle lors de la rupture d'un CDI durant les 2 (ou 3) premières années des sociétés nouvelles en fixant des planchers et des plafonds élevés.

– Supprimer le risque de requalification en salariat pour une entreprise sous-traitant à des indépendants.

– Créer une seconde tranche pour les auto/micro-entrepreneurs.

– Évaluer les difficultés économiques réelles et sérieuses au niveau de l'entreprise et non du secteur en cas de licenciement économique.

– Autoriser des dérogations négociées avec l'ensemble du personnel et non unilatérales à certaines dispositions du Code du travail (durée du travail, conditions d'embauche et de séparation...).

– Créer un congé spécifique de reconversion professionnelle.

AXE 3 : FACILITER LE PASSAGE DE LA FORMATION À L'EMPLOI

– Former les agents de Pôle Emploi en matière d'accompagnement et d'orientation. Mobiliser le secteur privé (sociétés d'intérim, d'outplacement, de formation, de recrutement...) rémunéré au *success fees*[1] pour retrouver du travail aux chômeurs.

– Renforcer et faire financer par Pôle Emploi les réseaux associatifs de formation des chômeurs à la création d'entreprise.

AXE 4 : CLARIFIER LES RÈGLES DU JEU DU DIALOGUE SOCIAL

– Réformer le mode de financement des syndicats. Les financements publics pourraient être proportionnels aux cotisations des adhérents.

– Aller progressivement vers une syndicalisation obligatoire en réservant aux seuls syndiqués le bénéfice des accords négociés.

---

1. Rémunération perçue en cas de succès seulement.

– Élargir les obligations de présence de salariés au sein des conseils d'administration (baisse du seuil de la taille des entreprises, formation pour les salariés administrateurs).

– Réformer les conseils de prud'hommes. La procédure, trop longue, doit être raccourcie ; les décisions, souvent difficilement compréhensibles sur le plan juridique, doivent être éclaircies et explicitées ; l'échange de la communication des pièces et conclusions devrait être revu au bénéfice des salariés.

– Faciliter les parcours syndicaux au sein des entreprises, en luttant contre les discriminations, notamment salariales.

– Reconnaître comme organisations syndicales représentatives celles qui ont une représentativité d'au moins 15 %.

– Permettre à des salariés non syndiqués de se présenter aux élections de délégué du personnel dans les entreprises de moins de 50 salariés.

– Permettre dans les entreprises de moins de 50 salariés la conclusion d'accords avec des salariés mandatés par une organisation syndicale représentative.

– Créer l'obligation d'une concertation annuelle entre les chefs d'entreprise et les délégués syndicaux sur la stratégie de l'entreprise.

13

L'accueil et l'inclusion
des nouveaux venus dans le pays

> « Tout homme persécuté
> en raison de son action en faveur de la liberté
> a droit d'asile sur les territoires de la République. »
> Préambule de la Constitution de 1946,
> adossé à la Constitution du 4 octobre 1958

Depuis plus de mille ans, la France est une terre d'accueil, un pays d'immigration. Chaque vague de nouveaux venus a connu des difficultés d'intégration avant d'être totalement partie prenante de la nation. Aujourd'hui, aux migrations économiques s'ajoutent les réfugiés venus de zones en guerre.

Alors que les vagues précédentes d'immigration se sont intégrées en une ou deux générations, des discriminations frappent encore les descendants d'immigrés des dernières vagues, nés, scolarisés et socialisés en France. Et ces discriminations alimentent des difficultés ou des refus d'intégration d'enfants, petits-enfants ou arrière-petits-enfants d'immigrés.

Cette ségrégation est géographique, scolaire et professionnelle. 19 % des immigrés et 14 % de leurs enfants vivent aujourd'hui dans des zones urbaines sensibles (ZUS) où ne résident que 6 % de la population. À 15 ans, les jeunes nés français dont les parents sont issus de l'immigration sont deux fois plus susceptibles de figurer parmi les élèves en difficulté ; 18 % d'entre eux sortent sans diplôme ou avec un niveau inférieur au bac, alors qu'ils représentent un cinquième d'une classe d'âge. Enfin, ils sont bien plus souvent chômeurs que les autres Français. Ces difficultés se reproduisent de génération en génération. La ghettoïsation, les souffrances des jeunes issus de l'immigration dans les banlieues ou ailleurs, les troubles d'appartenance identitaire, voire le rejet de la société française ne sont pas un problème que pour eux, mais pour le pays.

L'accueil des nouveaux venus est extrêmement difficile : 64 811 demandes d'asile ont été déposées en France en 2014 ; 16 000 dossiers hors mineurs sont en attente de traitement à l'Office français de protection des réfugiés et des apatrides (Ofpra) ; ce qui conduit à laisser s'installer des zones de non-droit comme porte de la Chapelle, gare d'Austerlitz, Calais, Dunkerque. Le temps de traitement des dossiers, comme prévu par la loi, est de deux ans au lieu de neuf mois. Le taux de rejet des demandes d'asile en France est de 83 % (contre une moyenne de 66 % en Europe) ; 28 % obtiennent l'asile au final après un recours à la justice.

Avec seulement 240 heures en moyenne de formation linguistique, les nouveaux venus sont bien souvent démunis et insuffisamment autonomes. En Allemagne, la participation à 600 heures de cours de langue constitue une obligation assortie de contrôles et de sanctions.

Par ailleurs, les diplômes et les talents ne sont pas suffisamment reconnus : un chirurgien étranger réfugié en France ne se voit pas proposer autre chose qu'un poste d'agent d'entretien, au mieux infirmier, s'il acquiert une excellente maîtrise du français et parvient à suivre une formation pour faire reconnaître son savoir-faire.

Depuis 2007, la signature d'un contrat d'accueil et d'intégration entre l'État et le migrant souhaitant s'installer sur le territoire est en principe obligatoire. Une formation civique obligatoire a été instituée sur les valeurs républicaines – mais elle ne dure qu'une journée en général. Les formations civiques ne prennent par ailleurs pas en compte la diversité des publics migrants concernés et de leurs cultures.

Faciliter l'intégration des migrants, dans les limites numériques de nos capacités d'intégration, ne relève pas seulement d'un acte altruiste. C'est dans l'intérêt des générations actuelles et futures des Français. L'attitude honteuse de l'Europe, qui prétend maintenant renvoyer dans des lieux incertains hors d'Europe les femmes et les enfants venus chercher asile chez nous, est non seulement illégale et immorale, mais aussi contraire à nos intérêts. Nous devons tout faire pour bien les accueillir et les intégrer.

Pour y parvenir, il faut mettre en œuvre les réformes suivantes.

PROPOSITIONS

AXE 1 : FLUIDIFIER L'INTÉGRATION

– Simplifier les procédures administratives en ligne pour mettre fin à l'engorgement, à l'attente interminable et au maquis, au millefeuille administratif.
– Mettre en œuvre une politique de visa facilité pour les « talents » étrangers dont la France a besoin.

AXE 2 : MISER SUR L'APPRENTISSAGE DE LA LANGUE, PUISSANT OUTIL D'INTÉGRATION

– Intensifier, personnaliser et professionnaliser la formation linguistique des arrivants.
– Instituer de manière pérenne et généralisée des programmes de français à objectifs spécifiques :

- Professionnaliser les formateurs de français langue étrangère (FLE) et langue d'intégration (FLI).
- Cadrer davantage les cours de français aux primo-arrivants en axant strictement le contenu sur des « urgences » (le logement, l'éducation, la recherche d'emploi, la santé, les droits et les devoirs, les démarches administratives, etc.).
- Accompagner ces formations linguistiques par des formations intensives sur les valeurs républicaines et citoyennes, et la culture française. En particulier sur l'apprentissage des droits et des devoirs, et en particulier du **droit des femmes** et de la laïcité.
- Ne pas oublier qu'une langue s'apprend plus facilement en travaillant, et donc **favoriser l'intégration dans l'emploi**.

AXE 3 : FACILITER L'INTÉGRATION PAR L'ÉCOLE DES JEUNES IMMIGRANTS ET ISSUS DE L'IMMIGRATION

- Créer un réseau de « parrains », sur l'exemple allemand, pour soutenir les enfants issus de l'immigration pendant toute leur scolarité. Une « réserve citoyenne » (bénévoles, retraités, jeunes en service civique) accompagnerait les enfants de primo-arrivants. Des associations agissent remarquablement dans ce domaine.
- Multiplier les classes d'accueil et les initiatives type « Ouvrir l'école aux parents ».
- Valoriser davantage les cultures d'origine des enfants issus de l'immigration. Le sentiment d'isolement et de déracinement généré par le changement de société serait sans doute considérablement amoindri si les jeunes sentaient leurs histoires et leurs identités multiples davantage prises en compte au sein des cours.
- Créer, pour les élèves arrivants, des cours du soir de « français comme seconde langue », sur le modèle américain des cours

« english as second language ». Ces cours de mise à niveau permettraient aux élèves enfants de migrants nouvellement arrivés de ne pas décrocher.

– **Faire connaître aux parents primo-arrivants** les différentes options post-bac proposées à leurs enfants.

– **Alléger les programmes dans certaines matières** annexes pour faciliter le rattrapage des apprentissages fondamentaux.

AXE 4 : AIDER À L'INTÉGRATION PAR LE TRAVAIL

– **Aider les réfugiés, les migrants en situation régulière à trouver du travail ou à créer leur propre entreprise.** Il existe pour cela de nombreux réseaux spécialisés associatifs, qui manquent de moyens et sont trop souvent mal utilisés dans le cadre de Pôle Emploi.

14

L'enseignement supérieur : déverrouiller le système

> Si le barycentre universitaire mondial se situait,
> au XIIIᵉ siècle, au Quartier latin, il est temps
> de réaliser que huit siècles ont passé.

L'évolution démographique, les technologies numériques, l'avalanche des connaissances sans cesse renouvelées poussent à repenser les fondements mêmes de l'enseignement supérieur. En particulier en France.

Malgré la qualité et le dévouement des enseignants et des personnels, et malgré un nombre considérable de réformes ces quinze dernières années, l'enseignement supérieur français reste largement inadapté aux exigences de l'avenir.

Depuis les années 2000, l'enseignement supérieur a connu en effet un mouvement continu de réformes, présentées chacune comme décisives : l'introduction du système licence-master-doctorat en 2002, la loi de programme pour la recherche (2006), l'Agence nationale de la recherche, la loi relative aux libertés et aux responsabilités des universités dite « LRU » de 2007, qui leur a conféré une autonomie relative, le plan Campus de 2008 et la mise en œuvre du Grand Emprunt – en deux vagues, 2009 et 2011 –, et enfin la loi sur l'enseignement supérieur et la recherche (2013), qui a introduit une nouvelle couche institutionnelle (les Comue, communautés d'universités et établissements).

Malheureusement, le bilan de ces réformes est décevant, du fait de leur manque d'ambition et d'envergure, et de leur incohérence.

1. L'enseignement supérieur français est de moins en moins capable de faire réussir ceux qui s'y aventurent : 27 % des étudiants quittent l'université en fin de première année, un pourcentage qui augmente depuis 2008.

2. Les professeurs sont majoritairement recrutés parmi les élèves des universités : seulement 44 % viennent de l'extérieur.

3. La gouvernance des universités françaises reste paralysée. Les conseils d'administration sont très hétérogènes, souvent plus proches d'un comité d'entreprise que d'un conseil stratégique. La bureaucratie impose des commissions, des rapports, des intermédiaires, des tâches répétitives, créant des services de communication, d'information, d'aide à la rédaction des contrats, d'enquêtes internes, etc., qui mobilisent du temps, de l'argent et des locaux au détriment des activités de recherche et d'enseignement. Par exemple, les espaces de la Sorbonne sont maintenant occupés à 80 % par les services administratifs du rectorat et quatre universités se partagent le reste des locaux dans des guerres picrocholines.

4. Les établissements sont évalués selon des critères administratifs et financiers plus que selon leur dynamique scientifique ou leurs résultats pédagogiques ; les résultats des évaluations des unités de recherche ne sont pas publics ; la qualité des enseignements n'est, dans la plupart des cas, pas évaluée par les étudiants eux-mêmes. Les chercheurs ne sont pas évalués par des comités constitués de pairs reconnus.

5. La fracture entre les grandes écoles et les universités reste totale : l'université n'attire que 6 % des bacheliers scientifiques mention très bien ; la quasi-totalité des meilleurs élèves lui préfèrent la voie des classes préparatoires – soit de leur

propre choix, soit parce que les professeurs les y dirigent, sans se soucier de leur vocation, mais leur assurant que ce n'est qu'en choisissant de « faire une prépa » qu'ils continueront dans la voie de l'excellence. Dans certains lycées, considérés comme les meilleurs de France, un élève de terminale qui ferait connaître sa volonté de suivre après le baccalauréat un cursus universitaire serait regardé comme un trouble-fête, susceptible de plomber les statistiques de l'établissement, lequel souhaite continuer de se targuer de n'envoyer ses élèves que dans la voie des concours sélectifs. Seul vouloir « faire médecine » ou « droit » est toléré. Un élève qui souhaiterait devenir architecte sera tout de même dirigé en prépa bio, si ses résultats dans cette matière sont bons. À l'inverse – et c'est tout aussi le reflet de l'absurdité du système –, un excellent élève d'un lycée difficile s'autocensurera, intériorisant le fait que les classes préparatoires ne sont pas faites pour lui. Aussi, la reproduction sociale s'y aggravant, les écoles sont devenues des regroupements endogames d'enfants d'ingénieurs et de professeurs.

6. L'enseignement supérieur français souffre aussi d'une fracture entre les universités et les organismes de recherche, accentuée par la séparation des statuts d'enseignant-chercheur et de chercheur. Cette distinction introduit une frontière beaucoup trop étanche entre les activités de recherche et l'enseignement, réservé aux chercheurs les moins actifs. Les comparaisons internationales montrent qu'à la différence de celui de la France, les meilleurs systèmes mondiaux reposent sur le modèle de l'université de recherche, avec des professeurs nommés par l'université qui sont aussi des chercheurs actifs, et des étudiants qui forment l'élite intellectuelle de leur génération. Coexistant avec de grandes universités technologiques (MIT, Caltech, École Polytechnique fédérale de Lausanne, LES à Londres…), les *comprehensive universities* délivrent des formations pluridisciplinaires dans tous les champs du savoir. Elles s'appuient également sur un système incitatif et compétitif de

financement de la recherche publique. En Allemagne, 44 % des crédits publics sont destinés à du financement sur appel d'offres, contre 14 % seulement en France.

7. L'enseignement supérieur français est marqué par une nette fracture entre les disciplines. Ce cloisonnement n'a été que marginalement atténué par les évolutions du cadre institutionnel (pôles de recherche et d'enseignement supérieur, Comue). Alors que Mark Zuckerberg, fondateur de Facebook, a pu choisir de se spécialiser à Harvard en informatique et en psychologie, un tel parcours est pratiquement impossible en France. C'est d'ailleurs l'une des raisons pour lesquelles les classes préparatoires, de par leur enseignement davantage pluridisciplinaire, attirent davantage les jeunes bacheliers brillants qui ne souhaitent pas s'enfermer, à 18 ans, dans une seule et même discipline.

8. La France accuse également un retard relatif en matière de financement : malgré une augmentation de 30 % entre 2000 et 2011 de la dépense en matière d'enseignement supérieur et de recherche, la France se classe toujours au quinzième rang des pays de l'OCDE. Sa dépense par étudiant (15 375 équivalent dollars) la place juste au-dessus de la moyenne de l'OCDE (13 737 équivalent dollars) et bien en dessous de la Suisse (22 882 équivalent dollars), avec qui elle est désormais en compétition pour attirer les meilleurs étudiants et professeurs francophones, comme le montre l'éclatant succès de l'EPL (École Polytechnique de Lausanne).

9. Symptôme de la perte de vitesse de l'enseignement supérieur français : les universités françaises restent largement méconnues à l'étranger. Seule la Sorbonne jouit d'une renommée internationale comme une « marque » et rien d'autre puisque Paris-II, III ou IV ne sont toujours pas reconnues. Les universités françaises ne font d'ailleurs rien pour se faire connaître. (À commencer par leurs noms : l'adjonction d'un chiffre à un nom de ville est-il vraiment lisible ?) Et les regroupements récents n'y changent rien. De fait, la France réussit

mal dans les classements internationaux, tel le classement de Shanghai ; ces classements sont, certes, subjectifs et parfois biaisés. L'enseignement scientifique est particulièrement maltraité ; sans doute cela est-il aussi lié à ce que les hommes politiques actuels sont ignares en matière scientifique (aucun scientifique parmi les 38 membres du gouvernement), voire méprisent ouvertement la science (« expliquer c'est excuser »), alors que cinq ministres chinois sont titulaires d'un doctorat en sciences. Et si la honteuse « circulaire Guéant », qui restreignait la possibilité pour les étudiants étrangers diplômés en France de travailler en France, a heureusement été abrogée en 2012, l'effet image désastreux qu'elle a véhiculé continue à être ressenti et propagé par nos concurrents.

10. Rien n'est fait pour que l'université participe activement à la formation permanente de ses anciens élèves, abandonnant cet énorme marché aux grandes écoles et au secteur privé.

11. L'université est franco-française : pas de clarté dans le recrutement, pas de vraie politique de ressources humaines qui permette d'accueillir en France les meilleurs enseignants-chercheurs mondiaux.

La réponse à ces défis ne passera pas nécessairement par une nouvelle loi ; elle implique avant tout un message fort du politique au plus haut niveau, avec des changements de pratiques, en acceptant notamment l'ouverture d'espaces d'initiatives et de possibilités d'expérimentation, en matière pédagogique comme d'organisation, et une plus grande diversification des établissements. Elle passe aussi et surtout par une motivation des personnels, dont les statuts devront évoluer pour créer plus d'exigence pédagogique, de recherche et de maintien à niveau.

France 2022 propose de déverrouiller l'enseignement supérieur en cinq volets.

PROPOSITIONS

AXE 1 : ACCÉLÉRER L'AUTONOMIE PÉDAGOGIQUE
DES ÉTABLISSEMENTS

– **Identifier une cinquantaine de collèges d'enseignement supérieur**, qui iraient jusqu'au niveau licence, et une douzaine d'universités de recherche, avec une sélection à l'entrée, et qui offriraient également des masters et des doctorats.

– **Encourager les établissements à développer des formations originales pluridisciplinaires**, avec une évaluation *ex post* des diplômes ainsi créés. Les étudiants de licence, notamment, devraient avoir accès à une grande diversité d'enseignements. Dans les pays anglo-saxons, la spécialisation ne commence qu'après le premier cycle. Les étudiants en licence choisissent une dominante (moins de 50 % des matières) et pour le reste leur choix est libre. Il n'est pas rare qu'un physicien américain nobélisable ait choisi, à côté de la physique et des maths, un cours de poésie grecque ancienne et un cours sur les équilibres ponctués en biologie évolutive. Cela aide aux réorientations et accroît la culture générale, donc l'adaptabilité. Une telle mesure avait été instaurée en 1968 à l'université expérimentale de Vincennes, puis progressivement rognée par le mandarinat. Cette nécessité démontre l'inanité du complexe de campus parisien qui est en train d'être mis en place avec les sciences au sud (plateau de Saclay et d'Orsay) et les humanités et sciences sociales au nord (campus Condorcet à Aubervilliers-Saint-Denis). Sans aucune passerelle entre eux !

– **Permettre la sélection à l'entrée du master.**

– **Accompagner la sélection par un système efficace d'orientation.** Les étudiants qui n'intégreraient pas les filières sélectives devraient avoir accès à des formations professionnalisantes de deux ou trois ans au sein de collèges d'enseignement supérieur.

– Permettre aux universités de titulariser elles-mêmes leurs professeurs, sans passer par le CNU.

AXE 2 : DONNER AUX UNIVERSITÉS LES MOYENS POLITIQUES ET FINANCIERS DE LEUR AUTONOMIE ET DE LEUR AMBITION

– Remplacer l'actuel ministère de l'Enseignement supérieur et de la Recherche par une instance stratégique en charge de la définition de grandes orientations auprès du Premier ministre et par une agence indépendante ayant pour mission de coordonner les universités et de mettre en œuvre un système véritablement incitatif d'allocation des moyens.

– Encourager les expérimentations de modes de gouvernance dans le sens d'une plus grande autonomie (notamment en ce qui concerne la composition du conseil d'administration, la désignation de ses membres et la nomination des professeurs).

– Développer un système compétitif de financement de l'enseignement supérieur et de la recherche fondé sur l'évaluation de la performance des établissements.

– Faire rembourser *a posteriori* leurs études aux étudiants français diplômés de manière échelonnée et proportionnellement au revenu.

– Mettre l'aide publique au logement des étudiants sans condition de ressources.

– Augmenter les frais de scolarité pour les étrangers. Les étrangers doutent de la qualité du système d'enseignement supérieur français si, facialement, il est évalué à un si bas prix, en comparaison avec les autres pays du monde. L'Espagne et l'Italie ont procédé à une telle augmentation : les frais de scolarité y sont désormais compris entre 1 000 et 5 000 euros, tandis qu'en France ils demeurent inférieurs à 1 000 euros. Les frais de scolarité pour les Français comme pour les étrangers devraient, en tout état de cause, être plus élevés au niveau master qu'à celui de la licence.

AXE 3 : REMETTRE LES ENSEIGNANTS-CHERCHEURS
AU CŒUR DE LA DYNAMIQUE UNIVERSITAIRE

– Lancer un grand plan de recrutement d'enseignants-chercheurs car la France est totalement sous-dotée.

– Recruter les professeurs par les universités pour des périodes de huit ans renouvelables.

– Faire converger les statuts des enseignants et des chercheurs à l'université sur la base de l'annualisation de leur temps de travail, en s'inspirant du système américain, dans lequel le statut standard est celui d'universitaire, et où ceux qui obtiennent des contrats de recherche « rachètent » avec leurs budgets les cours qu'ils sont supposés donner à leur faculté (ils sont seulement tenus d'en conserver un par an), qui les remplace ainsi avec cet argent. Cela donne une grande souplesse à la fois aux universités et aux personnes qui peuvent avoir plus envie de recherche ou plus envie d'enseignement à tel ou tel moment de leur carrière.

– Reconnaître la diversité des charges d'enseignement, de recherche et de responsabilités collectives entre enseignants-chercheurs, et accepter une différenciation des salaires, des horaires et des carrières.

– Favoriser les décharges de service pour ceux qui assurent des fonctions administratives lourdes.

– Mettre en place des procédures d'évaluation régulières et transparentes des enseignants-chercheurs, dans le respect de règles déontologiques claires.

AXE 4 : AMÉLIORER LA QUALITÉ DE VIE UNIVERSITAIRE

– Imposer le tutorat. La disponibilité individuelle des enseignants envers chaque étudiant est essentielle. Le tutorat oblige l'étudiant à discerner ce sur quoi il bute autant qu'à le résoudre, et l'enseignant à cerner les imperfections de ses cours.

– Développer les lieux de rencontre entre enseignants et étudiants.
– Attirer les meilleurs étudiants étrangers par des bourses et simplifier leurs procédures d'arrivée.

AXE 5 : OUVRIR ET REDONNER DE L'ENVERGURE

– Arrêter les micro-facs en province et faciliter les regroupements à travers les collèges que nous proposons.
– Lancer un programme d'internationalisation de l'enseignement supérieur, avec ouverture de campus plurilingues et un objectif de 30 % d'enseignants et d'étudiants étrangers dans tout le système d'ici 2022.
– Forcer les grandes écoles à réformer et à démocratiser leur recrutement sur le modèle de Sciences Po.

15

La recherche et l'innovation : entrer dans la compétition de l'excellence

« Il faut oser ou se résigner à tout. »
Tite-Live

La recherche est essentielle non seulement en soi, mais par ce qu'elle représente. La Silicon Valley, souvent résumée dans l'imaginaire collectif à une foule de petites entreprises innovantes, n'existerait pas sans l'université de Stanford et sans celle de Berkeley. De même, le cluster de Boston bénéficie d'une forte concentration universitaire. Et c'est souvent la recherche fondamentale qui permet l'émergence d'innovations véritablement disruptives, qui constituent des avantages comparatifs précieux pour les économies des pays. La recherche d'aujourd'hui est donc le fondement de la croissance de demain.

La recherche est mondiale. Garder les chercheurs, les attirer, est essentiel dans le privé comme dans le public.

Le marché mondial de la recherche dans les sciences dures hors mathématiques (physique, chimie, biologie, génétique, nanotechnologies ou encore biotechnologies), comme d'ailleurs en économie, est un marché extrêmement intégré et globalisé. Toutes – absolument toutes, sans exception – les revues à comité de lecture dans lesquelles se publient les recherches de quelque importance sont éditées en anglais. Les chercheurs auxquels leurs pairs prêtent quelque potentiel passent de pays en pays dès le lendemain de leur doctorat ou au gré des coopérations qu'ils engagent sur une recherche ou sur un projet. Selon leurs recherches et leur discipline, ils « tournent » entre quelques pôles d'excellence mondiaux qui concentrent la grande majorité des productions significatives dans une discipline donnée.

Par exemple, dans la spécialité assez étroite qui est la biophysique fondamentale, l'horizon professionnel d'un chercheur est structuré par une quinzaine de centres mondiaux d'excellence, parmi lesquels deux français très liés entre eux (l'ESPCI ParisTech et Curie), deux anglais, deux allemands, un espagnol, un israélien, quelques japonais, et un nombre significatif d'américains. Dans la profession constituée par ces quinze pôles, tout le monde échange (en anglais), tout le monde voyage (dans des séminaires, des congrès, des ateliers), tout le monde coopère sur des projets ou des productions, tout le monde se connaît et tout le monde s'évalue. Les nominations, les budgets se décident dans des jurys de pairs dans lesquels chaque institution invite des personnalités éminentes d'autres pays pour juger le travail de ses propres chercheurs. Et comme sur tout marché global, il se construit des index : essentiellement le nombre de publications acceptées dans des revues à comité de lecture, et aussi le « H index » (on atteint l'indice H quand on a publié plus de H articles dans des revues scientifiques dont chacun a été repris au moins H fois dans d'autres articles scientifiques, H mesurant ainsi à la fois la productivité et la contribution à l'avancement d'autres recherches en aval).

Sur un marché aussi globalisé et compétitif, quels sont les avantages comparatifs de l'implantation en France, aussi bien pour des chercheurs français que pour des étrangers ? Quels arguments avons-nous à faire valoir ? Et qu'est-ce qui, au contraire, dissuade les meilleurs ? Comment faire pour attirer et garder les meilleurs ?

La recherche publique française est de haute qualité dans beaucoup de disciplines, et exceptionnelle en mathématiques, notamment grâce à la qualité de nos formations initiales les plus exigeantes.

En dehors même des mathématiques, un certain nombre de réussites existent en France, comme le Commissariat à l'énergie atomique, l'Institut Pasteur ou l'École supérieure de physique et de chimie industrielles ParisTech, qui sont la preuve que recherche théorique, recherche industrielle et création de start-up peuvent y coexister au plus haut niveau.

Grâce à cette recherche publique de pointe, la France est notamment pionnière dans certaines technologies d'avenir, telles que les technologies de la langue (traduction automatique, Web sémantique, synthèse vocale, indexation automatique de documents, correcteurs orthographiques et grammaticaux). Et la qualité de ses ingénieurs est telle que les pays du monde entier se les arrachent, à commencer par les États-Unis : il y aurait pas moins de 60 000 ingénieurs français dans la Silicon Valley.

En pratique, dans les sciences nécessitant des infrastructures de laboratoire, le système français n'a pas la flexibilité nécessaire pour permettre à de jeunes thésards formés en France de créer leurs propres unités et ils choisissent de plus en plus souvent de partir à l'étranger. Une fois installés à l'étranger, ces talents sont durablement perdus pour la France. Le problème est le même en économie : dans la liste des vingt-cinq meilleurs jeunes économistes mondiaux (de 30 à 45 ans) recensés par le Fonds monétaire international, sept sont français, ce qui est un succès remarquable. Mais aucun d'entre eux ne travaille en France. Aucun des dix-huit autres non plus, d'ailleurs.

On peut à la rigueur justifier l'attractivité des États-Unis par la taille exceptionnelle des fonds de dotation qu'ont pu accumuler les grandes universités de l'Ivy League (36 milliards de dollars pour la seule université de Harvard en 2014), que nous n'arriverons sans doute jamais – et c'est du pur réalisme sans défaitisme – à égaler (encore que Stanford a rattrapé les autres en une décennie).

Mais l'argument ne vaut pas quand il s'agit de la compétition avec le Royaume-Uni ou l'Allemagne, dont une bonne part des allocations aux programmes de recherche suivent des règles très comparables aux nôtres, la Commission européenne en finançant d'ailleurs directement une partie.

Alors, qu'est-ce qui chasse une bonne part de nos meilleurs chercheurs hors du pays, ou empêche les meilleurs chercheurs étrangers de venir en France ?

Ce n'est pas que la France n'est pas attractive : tout le monde adore la France, sa culture, sa qualité de vie. Beaucoup aimeraient y vivre ; les Français, nostalgiques de leur pays, plus encore que les autres.

Ce n'est pas non plus une affaire de budget : la France consacre 2,2 % de son PIB à l'investissement en recherche-développement, soit autant que ses voisins, même si c'est beaucoup moins que le Japon.

Ce n'est pas non plus une affaire de rémunération : on ne choisit pas d'être chercheur pour devenir riche. Même pour un professeur senior au plus haut de sa carrière, le salaire du Britannique n'est pas tellement plus élevé que celui du Français, et moins encore si on compte les dépenses de retraite, d'assurance maladie, ou encore d'éducation. Un chercheur n'est pas non plus davantage imposé en France qu'ailleurs.

La vraie différence est **une différence de promesse** faite aux jeunes chercheurs, vers l'âge de 30 ans, au moment où ils s'installent dans la carrière, après un long processus de sélection qui est à peu près partout le même triptyque : études, doctorat, emplois précaires « post-doc ».

En France, on postule alors soit à l'université, en tant qu'enseignant-chercheur (soit plus de 90 % des postes), soit, pour les chercheurs « purs », dans un institut de recherche comme l'Inserm ou le CNRS, en tant que chargé de recherche. En cas de succès, le poste obtenu est mal payé, comme partout ailleurs – mais c'est un emploi à vie, dix ans plus tôt que dans les filières étrangères.

Mais, en France, le chercheur public ne se voit pas pour autant reconnaître une quelconque autonomie budgétaire ou scientifique : il travaille pour d'autres, n'est habilité à encadrer personne, ne gère aucun budget. Alors que ce nouveau chargé de recherches a déjà passé un processus de sélection drastique, choisi de préférence à une cinquantaine d'autres candidats chercheurs, il doit, quelques années plus tard, repasser une longue procédure d'habilitation à diriger des recherches, pour être formellement autorisé à diriger… un étudiant ! Et cela sans compter une qualification additionnelle avant le premier concours lui-même. Aujourd'hui, les directeurs de recherche au CNRS sont quasi exclusivement des promotions en interne de chargés de recherche.

Au contraire, en Allemagne ou en Angleterre, la voie royale, pour un chercheur de 30 à 35 ans, est de présenter un projet et un budget pluriannuel de recherches, et, s'il est sélectionné, de devenir *group leader*, ce qui lui permet d'avoir un contrat de quatre à sept ans selon les disciplines. Cela ne lui garantit en rien un emploi au terme de cette durée, mais cela s'accompagne dès la première année de financements pour démarrer son propre laboratoire et recruter quelques personnes.

Les deux modèles ne sont pas durablement divergents : vers l'âge de 40 ans, les meilleurs chercheurs étrangers obtiennent leur « tenure », et ils sont de fait employés à vie.

Le modèle français n'est pas forcément sous-performant dans toutes les disciplines. Par exemple, en mathématiques, il est assez efficace : si on travaille seul, si on n'a pas besoin de laboratoires et d'expérimentateurs et, dans un métier où l'éminent mathématicien Godfrey Harold Hardy estimait que toutes les grandes découvertes étaient faites avant 40 ans, il n'est pas forcément absurde de rassurer d'emblée les plus prometteurs et de leur donner une totale liberté d'esprit. Et du reste, la France excelle en mathématiques. Le lauréat de la médaille Fields 2010, le Français Cédric Villani, en est la preuve.

Mais dans les disciplines qui nécessitent des moyens d'appui un peu significatifs, comme la biologie, la physique expérimentale ou la chimie, la promesse offerte par les institutions étrangères est incomparablement supérieure : puisque de toute façon on gagne peu, que vaut l'assurance que ce soit pour la vie contre l'opportunité d'être autonome, de faire de grandes choses, quitte à courir le risque de revenir quelques années plus tard sur le marché du travail ?

Le handicap compétitif français du début de carrière est tellement évident qu'il a suscité en France des initiatives, plus ou moins opaques (les primes au mérite, les évaluations, les financements sur projet), ayant pour objectif de le contourner.

Un certain nombre d'instituts de recherche, de programmes de l'Agence nationale de recherche ou de fonds privés permettent à quelques heureux élus d'avoir ce parcours en France. Mais, dans ces cas-là, si les moyens de recherche deviennent comparables, les salaires sont alors la moitié, voire le tiers de ce qu'ils sont dans les pays voisins. Et les pays voisins savent inventer eux aussi toute une série d'avantages en nature, matériels et immatériels (logements, distinctions, « fellowships »), qui les avantagent dans la compétition pour attirer les talents : les grands collèges anglais de Cambridge ou d'Oxford excellent avec un raffinement tout britannique dans cette course à la reconnaissance élitiste.

Pour les jeunes chercheurs en France, l'outil le plus visible pour contourner le système est constitué par les bourses de l'Union européenne, extrêmement compétitives, qui permettent à un jeune chercheur sélectionné de s'implanter dans n'importe quel pays européen. C'est aujourd'hui la voie idéale pour débuter un groupe de recherche en France, ce qui aboutit au résultat paradoxal que ce sont les attributions européennes, et non les procédures de sélection françaises, qui forment le processus de sélection de ceux des chercheurs français qui auront le droit d'engager une carrière en France aux normes internationales.

Généraliser ce type d'attributions permettrait de responsabiliser le jeune chercheur, en simplifiant les concours, en le laissant maître très tôt de son budget et de son équipe.

En sens inverse, si on demande à un thésard étranger en France quelles sont les principaux inconvénients de notre système, les premières réponses sont toujours : 1. la difficulté de se loger à Paris avec un salaire de jeune chercheur, particulièrement pour des durées courtes, puisque le marché du logement est lui aussi un marché de rente ; 2. la barrière de la langue dans l'administration, qui refuse souvent de parler un mot d'anglais ; 3. une prime aux diplômes « franco-français » des grandes écoles par rapport à des universités étrangères pourtant de fait plus prestigieuses à l'international, mais que les Français ne connaissent pas et reconnaissent trop peu.

Au demeurant, un chercheur étranger ne connaîtra que rarement toutes les autres voies, à moitié cachées, qui permettent parfois d'entretenir une forme de mandarinat.

La France a mobilisé des outils fiscaux pour favoriser la recherche privée et l'investissement en recherche-développement, en premier lieu le crédit impôt-recherche (CIR) et le contrat impôt-innovation (CII), qui doivent être protégés et renforcés.

La recherche privée, pour sa part, est très largement inférieure à la moyenne internationale. Les entreprises y sont pourtant massivement incitées fiscalement.

France 2022 propose ainsi les axes d'action suivants.

PROPOSITIONS

– **Retarder l'âge moyen auquel le chercheur public obtient un emploi à vie**, après l'obtention du doctorat, **avec comme contrepartie d'augmenter considérablement l'indépendance et les moyens de la recherche.**

– Accroître la différence de traitement au profit des projets les plus prometteurs et des pôles d'excellence mondiaux tout en favorisant les possibilités de reconversion vers le privé.

– Systématiser les financements sur des bases compétitives aussi bien s'agissant des organismes financeurs qu'à l'intérieur des universités et au sein de leurs composantes.

– Attirer et accueillir dans les centres de recherche publics les meilleurs chercheurs étrangers, même pour des projets temporaires.

– Remettre les enseignants-chercheurs au cœur de la dynamique universitaire.

• Faire converger les statuts des enseignants et des chercheurs à l'université sur la base de l'annualisation de leur temps de travail, de leur évaluation et de leur collaboration.

• Reconnaître la diversité des charges assumées d'enseignement, de recherche et de responsabilités collectives entre enseignants-chercheurs ; accepter qu'y réponde une différenciation des salaires, des horaires et des carrières.

• Mettre en place des procédures d'évaluation régulières et transparentes des enseignants-chercheurs, dans le respect de règles déontologiques claires. Les enseignants devraient notamment être évalués par les étudiants.

– Renforcer massivement les passerelles entre la recherche publique et la recherche privée.

16

Le numérique :
réussir une mutation qui s'accélère

> « Nous n'avons que le choix entre les changements
> dans lesquels nous serons entraînés
> et ceux que nous aurons su vouloir et accomplir. »
> Jean Monnet

En moins de vingt ans, le numérique est devenu essentiel au quotidien des citoyens, à la vie économique et au développement de nos sociétés. Conçu comme un bien commun, une ressource à laquelle tout le monde peut accéder, gouvernée en collectif, qu'il faut faire fructifier au bénéfice de tous, il a bouleversé les manières de produire, de penser et de diffuser le changement. Il aplanit les hiérarchies, introduit plus de souplesse et pousse au développement de schémas participatifs de production et de décision.

Les entreprises du numérique ont, de plus, bénéficié de l'accélération du déploiement des nouveaux usages et modes de production et de consommation des dix dernières années. Le succès des start-up françaises montre également que les usages et services liés au « partage » et à la « redistribution » intéressent de plus en plus d'utilisateurs.

La numérisation de la société s'est accompagnée de l'accroissement des inégalités de revenus et de patrimoine, et de la fragilisation de nos systèmes de solidarité.

D'ici à quinze ans, ces ruptures majeures vont concerner plus encore le transport, l'atelier, le bureau, la maison, la culture, la santé, l'éducation et l'énergie.

La France doit anticiper ces bouleversements. Elle a tous les atouts pour cela. La France est aussi le lieu privilégié de développement des jeunes entreprises de technologie. Le numérique a créé 12 000 emplois net en 2014[1]. La filière représente 365 000 salariés, dont 70 % de cadres.

Ce qu'on appelle l'e-gouvernement, c'est-à-dire l'administration dématérialisée, est loin d'être à la traîne : la télédéclaration et le télépaiement des impôts ont été adoptés par 1 Français sur 3. 9 démarches courantes des Français sur 10 peuvent être aujourd'hui entreprises par la voie du numérique. Les victimes de délit peuvent depuis 2013 déposer une pré-plainte en ligne, avant de la finaliser au poste de police. Depuis 2013 également, les citoyens peuvent effectuer en ligne une demande de logement social.

De nombreuses actions sont nécessaires pour accélérer cette évolution.

PROPOSITIONS

AXE 1 : INSCRIRE LES DROITS NUMÉRIQUES DANS NOTRE ORDONNANCEMENT JURIDIQUE

Après les droits civils et politiques (Déclaration des droits de l'homme et du citoyen de 1789), les libertés publiques et collectives (lois de la IIIᵉ République), les droits sociaux et économiques (Préambule de la Constitution de 1946) et les droits liés à l'environnement (Charte de l'environnement de

---

1. Chiffres Fédération Syntec.

2004), il est nécessaire aujourd'hui de définir un corpus de 5ᵉ génération : les droits numériques.

– Tout citoyen français doit pouvoir accéder et contribuer librement à Internet, bien commun mondial, et pouvoir avoir une connexion 4G. Ce droit doit être concrétisé par les actions suivantes :

• Contractualiser avec les opérateurs pour une couverture de l'intégralité du territoire, sans plus aucune zone blanche, le plus tôt possible, en 4G.

• Mettre à disposition des ordinateurs et des accès à Internet dans tous les services publics.

• Prodiguer dès l'école primaire des cours hebdomadaires d'informatique, comme c'est déjà le cas aux États-Unis – depuis les années 1990.

• Fournir à chaque enfant à l'entrée en sixième l'accès à un ordinateur.

• Proposer un cycle de formation informatique à tous les chômeurs de plus de 30 ans.

– Reconnaître un droit d'« autodétermination information-nelle » : chacun doit disposer de la propriété de ses données personnelles et du pouvoir de décider de leur communication et de leur utilisation.

La Cour constitutionnelle allemande a ainsi dégagé le prin-cipe de l'autodétermination informationnelle, qui a été repris par le Conseil d'État français dans son étude annuelle sur le numérique et les droits fondamentaux. La loi française doit maintenant donner un caractère positif à ce principe et pro-mouvoir son adoption à l'échelle de l'Union européenne.

Plus qu'une approche défensive en matière de protection, il s'agit de doter chaque citoyen des moyens d'exercer une véri-table maîtrise sur ses données et de tirer parti de leur valeur d'usage. Ce principe recouvre cet ensemble – protection, maîtrise, capacité. Il doit permettre à l'utilisateur de devenir acteur d'une économie numérique qui met de plus en plus les données au cœur de ses modèles économiques. Il réduit ainsi l'asymétrie de pouvoir entre l'utilisateur et les services numériques qui dominent.

Par ailleurs, afin que l'individu ne porte pas seul la responsabilité de veiller au bon usage de ses données, des dispositifs d'action collective sont à prévoir en cas de non-respect de ce droit fondamental à l'autodétermination informationnelle.

Ce droit a par ailleurs vocation à s'exercer également dans les rapports de l'usager aux administrations centrales, déconcentrées et décentralisées.

En prolongation du droit à l'autodétermination informationnelle, les plateformes doivent avoir l'obligation d'informer de façon lisible et non ambiguë sur ce qu'elles font des données.
– **Créer un système de label/notation des comportements des plateformes Internet en matière de traitement des données.**
– **Fixer l'ensemble de ces droits au niveau européen.**

AXE 2 : CRÉER UN ENVIRONNEMENT FAVORABLE
POUR MOBILISER LES TALENTS

– **Revoir la formation « systèmes électroniques numériques » du niveau bac technologique/BTS.** Cette formation, à ce jour, oriente les élèves vers des emplois de dépanneur/dépanneuse en électroménager, câbleur informatique ou technicien télécom. Il faudrait la réorienter vers le développement informatique, la « data scientist » ou l'ingénierie réseaux.
– **Aider les petites entreprises françaises du numérique à se développer à l'international,** par la création d'un organisme privé-public permettant aux grands groupes d'accompagner ces start-up dans leur internationalisation.

AXE 3 : COMPLÉTER LES OUTILS DE L'E-ADMINISTRATION

– Offrir avant 2022 à tous les citoyens une option dématérialisée pour toutes les démarches administratives dans tous les ministères, sans exclure la possibilité de démarches physiques et/ou papier.
– En déduire des économies mesurées de gestion des services publics.
– Promouvoir un usage du numérique dans le développement de la démocratie directe, dans les études d'impact et dans les processus de simulation des conséquences des grands projets d'infrastructures.

17

La politique de la santé

> « La Nation garantit à tous, notamment à l'enfant,
> à la mère et aux vieux travailleurs,
> la protection de la santé. »
> Préambule de la Constitution de 1946,
> Alinéa 11

Le système de santé français demeure une référence dans le monde développé. Il a été classé au premier rang mondial par l'Organisation mondiale de la santé (OMS) en 2000, et une étude de 2012 a comparé avantageusement, sur la période 1999-2007, les taux de mortalité pour des causes « évitables par des interventions médicales appropriées » de la France à ceux d'autres pays (y compris l'Allemagne, le Royaume-Uni, et les États-Unis)[1]. Le système de santé français a par ailleurs permis des gains importants, qui se poursuivent, en matière d'espérance de vie sans incapacité. L'espérance de vie à la naissance est de 82,1 ans en France. Soit deux ans de plus que la moyenne de l'OCDE.

---

1. Étude de E. Nolte et C. M. McKee, citée par P. Askenazy, B. Dormont, P.-Y. Geoffard et V. Paris, « Pour un système de santé plus efficace », *Les Notes du Conseil d'analyse économique*, n° 8, juillet 2013.

La santé représente environ 12 % du PIB français (contre une moyenne de 9 % dans l'OCDE) et emploie près de 2 millions de personnes.

La France dispose, en outre, d'acteurs de référence. D'abord, un corps médical d'exception. Des infirmières de très haut niveau. Par ailleurs, de très grands groupes industriels, des PME innovantes (biotechs, medtechs) et des centres de recherche publics (CNRS, Inserm, Institut Pasteur) et privés, et de prise en charge (Assistance publique-Hôpitaux de Paris, Curie, Gustave-Roussy), dont l'excellence est reconnue mondialement.

Malgré ces atouts évidents, le système de santé français peine aujourd'hui à remplir ses objectifs.

D'abord, l'espérance de vie n'y augmente plus, ou semble même baisser récemment. Les inégalités de santé demeurent une préoccupation forte des Français : l'écart d'espérance de vie à 35 ans entre cadres et ouvriers atteint toujours 6 ans chez les hommes, et 3 ans chez les femmes. S'y ajoutent des inégalités d'accès aux soins, qui font craindre l'installation durable d'une médecine à plusieurs vitesses.

Certaines zones sont des déserts médicaux (75 équivalent temps plein de généralistes sont pour 100 000 habitants dans les grands pôles urbains, contre 52 dans les communes rurales en périphérie). S'y ajoutent des inégalités financières : le taux de couverture par la Sécurité sociale et l'État, bien qu'élevé (supérieur à 76 %), masque des situations diverses (couverture de 88 % des dépenses par la Sécurité sociale pour les patients atteints d'affection de longue durée, contre 59,7 % pour les autres, qui représentent 82,4 % des « consommateurs »), avec des « restes à charge » non plafonnés et une couverture variable par les complémentaires.

Les performances de la recherche publique et privée française en sciences de la vie et santé, domaines dans lesquels la production scientifique française se classe au cinquième rang mondial, ne doivent pas faire oublier les difficultés auxquelles celle-ci est confrontée : une valorisation toujours difficile, une reconnaissance institutionnelle insuffisante, et un accès complexe et limité aux financements publics. Aussi des innovations nées en France passent-elles souvent en phase industrielle à l'étranger.

Si les échanges de médicaments ont représenté un excédent commercial de 6 milliards d'euros en 2014, le recul récent de l'emploi dans l'industrie pharmaceutique (tombé sous la barre des 100 000 en 2013) et des exportations de médicaments (–5 % en 2014) sont des signes inquiétants, liés notamment au développement de la fabrication locale et des génériques dans les pays émergents. Par ailleurs, seules 8 des 130 molécules autorisées en Europe entre 2012 et 2014 ont été produites en France, contre 32 en Allemagne, 28 au Royaume-Uni et 13 en Italie.

Enfin, la soutenabilité financière du système de santé n'est aujourd'hui plus assurée : la branche maladie de la Sécurité sociale enregistre un déficit chronique, malgré les plans de redressement successifs. Les assurances complémentaires ont connu une montée en puissance qui les rend de plus en plus « obligatoires ». La multiplication des contrats qu'elles offrent, avec des garanties hétérogènes et une lisibilité et une comparabilité parfois limitées, peut créer des risques d'affaiblissement de la concurrence et de sélection des risques.

Enfin, la prévention, qui constitue un investissement essentiel pour l'avenir, ne représente que 3 % des dépenses de santé, ce qui est dérisoire.

Malgré des réformes institutionnelles récentes, telles que la création de la Haute Autorité de santé[1], et des initiatives comme les registres de santé et sécurité au travail, la situation progresse très lentement, voire régresse. Actuellement 86 opérateurs différents gèrent un système éclaté en 14 régimes ; outre le régime géné-

---

1. La Haute Autorité de santé (HAS) est une autorité publique indépendante à caractère scientifique dotée de la personnalité morale. Elle a été créée par la loi française du 13 août 2004 relative à l'assurance maladie.

ral et ses 59 millions de bénéficiaires, les plus importants d'entre eux sont le régime des indépendants (RSI), qui gère 4 millions de personnes, et le régime agricole géré par la MSA, qui concerne 3,3 millions de personnes. À cela s'ajoutent 11 régimes dits spéciaux : les militaires, les cheminots, les salariés des notaires, la RATP, les marins, les industries électriques et gazières…

Par ailleurs, l'articulation entre les professionnels de santé demeure insuffisante, avec des médecins de ville de moins en moins nombreux et qui continuent de travailler de manière essentiellement individuelle, des services d'urgences dont l'engorgement est régulièrement dénoncé, et une incapacité à restructurer l'offre hospitalière pour concentrer les moyens sur les grands établissements, plus sûrs pour les malades d'après toutes les études internationales.

La mise en place des Agences régionales de santé (ARS), créées le 1er avril 2010, visait à améliorer cette articulation mais les leviers dont elles disposent semblent peu adaptés à cette mission.

La capacité du système de santé français à surmonter l'ensemble de ces défis est incertaine, car plusieurs facteurs rendent difficile une réforme d'ampleur : la technicité et la complexité des sujets, l'absence d'institution disposant d'une vision et d'une autorité globales, le poids des professionnels, des territoires et des élus, face à des malades et à des industriels qui peinent à faire entendre leur voix.

De plus, le monde de la santé va être confronté, dans les années à venir, à une quadruple mutation, qui va rendre encore plus difficile l'atteinte de ses objectifs :

– Une mutation démographique, d'abord, avec l'allongement de la durée de vie, qui va mécaniquement remodeler la pyramide des âges. Elle posera la question de la dépendance et, par symétrie, de l'allongement de la durée de vie en bonne santé. Elle entraînera nécessairement une augmentation des besoins de financement des soins de toute nature.

– Des mutations épidémiologiques, ensuite, avec le développement de pathologies chroniques (déjà responsables de 88 % des

décès en Europe), des pathologies mentales, et d'autres enjeux bien connus de santé publique : la proportion d'adultes fumant quotidiennement atteint 24 % en France (contre une moyenne OCDE de 20 % environ, et une proportion inférieure à 15 % dans des pays comme l'Australie, les États-Unis ou la Suède) ; la consommation d'alcool pur parmi les adultes est de 11,8 litres/habitant par an (ce qui place la France au troisième rang de l'OCDE) ; et le taux d'obésité parmi les adultes atteint 14,5 %.
– Des mutations technologiques auront des conséquences majeures sur le secteur de la santé, avec le développement exponentiel à prévoir du numérique (e- et m-santé[1]), de la génomique, des nano- et biotechnologies, de la robotique médicale et des sciences cognitives. Cela va accélérer le passage d'une médecine essentiellement curative et de masse à une médecine de plus en plus préventive (et même prédictive) et personnalisée. Ces évolutions représentent des défis importants pour le système de santé : explosion des coûts de recherche-developpement, questions d'égalité d'accès aux soins.
– Des mutations sociétales, enfin, avec des professionnels dont les aspirations légitimes ne coïncident pas forcément avec les exigences d'accès aux soins à tout moment et en tout lieu et qui sont confrontés à la judiciarisation de la santé ; et avec des citoyens qui entendent prendre en main leur propre santé par l'auto-éducation et l'auto-traitement.

Ces mutations sont d'une nature et d'une ampleur telles qu'elles vont rendre impossible l'équilibre du système actuel.

La France doit absolument capitaliser sur ce potentiel pour assurer le développement de ce secteur, essentiel en termes de qualité de vie, de croissance, d'emploi, d'innovation, de commerce extérieur et, plus généralement, de compétitivité.

---

1. L'e-santé désigne tous les aspects numériques touchant de près ou de loin à la santé. La m-santé concerne plus spécifiquement les aspects mobiles de l'e-santé.

PROPOSITIONS

AXE 1 : RESTRUCTURER L'OFFRE DE SOINS,
EN PARTICULIER L'OFFRE HOSPITALIÈRE, POUR ACCROÎTRE
LA QUALITÉ ET DÉGAGER DES ÉCONOMIES

– **Mieux concentrer l'offre de soins hospitalière**, notamment en soins aigus, pour atteindre des tailles critiques d'équipes garantissant un haut niveau de qualité à un coût finançable.

Le maillage territorial doit être repensé autour d'**un nombre plus réduit d'établissements hospitaliers** (à la fois publics et privés) de référence, notamment pour leur plateaux techniques, et de « **maisons de santé** » assurant une garde médicale et médico-sociale de haut niveau, complète et permanente dans chaque bassin de vie, complété par un développement de l'e-santé.

– **Mettre en place une vraie politique de lutte contre les incidents** médicaux, les maladies nosocomiales, les erreurs médicales... sur la base des meilleures pratiques mondiales.

– **Aligner l'ensemble des incitations sur ces objectifs de qualité** : rémunération des innovations, remboursement des offreurs de soins, carrière des professionnels.

– **Développer, en l'accompagnant, la politique de réduction des délais de séjour et l'ambulatoire.**

– **Revoir le temps de travail et l'organisation du travail à l'hôpital**, pour permettre une vraie continuité de prise en charge, y compris durant le week-end et les vacances.

– **Redéfinir le rôle du médecin généraliste**, qui doit être valorisé et devenir davantage référent, accompagnateur et coordinateur transverse du parcours de soins du patient. Il s'agit notamment de développer et de rémunérer les actes de suivi, au-delà de la simple orientation vers un médecin spécialiste. Les expériences en cours, notamment de « territoires de soins numériques », devront être pérennisées et généralisées si elles apportent les résultats attendus.

– **Permettre d'autres organisations que le pur exercice libéral et valoriser** des modes d'organisation nouveaux, où des médecins expérimentés se font assister dans les « maisons de santé » par des « juniors » pour effectuer les tâches simples ou répétitives, et ainsi se concentrer sur l'écoute et la décision ; contrairement au système actuel dans lequel le médecin est, dans une large mesure, seul à décider, quel que soit son niveau de compétence ou d'expérience, et n'est soumis à aucune hiérarchie ni évaluation professionnelle, ce qui le prive (hors système hospitalier) de toute perspective de progression de carrière (laissant au patient la responsabilité de « demander un deuxième avis », et de gérer d'éventuelles opinions contradictoires).

AXE **2** : ADAPTER LES SYSTÈMES DE FINANCEMENT
ET DE REMBOURSEMENT

– **Adapter le dispositif pour permettre de mieux rembourser les actes lourds** et moins les actes courants.
   • **Les ménages doivent contribuer**, même symboliquement, à limiter la consommation non indispensable de soins.
   • **Supprimer le remboursement à 100 % des ALD** (affections de longue durée) en cas de reconnaissance de guérison.
– **Modifier les tarifs en libéral** pour éviter une tarification secteur 1 qui ne soit plus du tout attractive pour les professionnels de santé et donc provoque des tentations de fuites massives vers le secteur 2, voire de déconventionnement.
– **Renforcer les contrôles** chez les assurés et les professionnels, renforcer le contrôle des indemnités journalières et l'étendre à toutes les organisations n'en étant pas dotées (comme les hôpitaux publics).
– **Introduire progressivement une modulation des remboursements des offreurs de soins** (établissements de santé, voire

libéraux) **en fonction des résultats de santé** (sur le modèle de celle qui a été mise en place pour Medicaid et Medicare aux États-Unis, il y a quelques années), pour permettre que tous les acteurs s'alignent sur des objectifs de qualité. Les ARS pourraient établir avec les offreurs de soins (hôpitaux, cliniques privées, « maisons de santé ») des contrats spécifiant notamment le niveau des prix, les horaires, le respect des recommandations de la HAS, et la prise en charge des objectifs de santé publique.

– **Transférer la gestion de l'assurance maladie obligatoire des fonctionnaires à la CNAM** avec 2 milliards d'euros d'économies.

– **Rendre les assurances complémentaires** plus transparentes, en leur permettant d'innover et d'aider à optimiser le système.

– **Rapprocher les organismes de gestion des régimes obligatoires,** pour faire des économies et faciliter la gestion de la comptabilité.

– **Favoriser les regroupements des régimes complémentaires.**

AXE 3 : SE DONNER DE NOUVELLES AMBITIONS
DE SANTÉ PUBLIQUE

– **Investir beaucoup plus dans la prévention,** pour en doubler progressivement le financement, en particulier, mieux utiliser la médecine scolaire et la médecine du travail à des fins de prévention.

– **Inciter les individus** à adopter des modes de vie plus responsables et à **prendre en main leur propre santé** :

• Poursuivre les efforts d'information sur les risques, et de réduction de l'exposition au tabac. Rendre la consommation du tabac et du cannabis légalisé de plus en plus coûteuse et dévalorisante.

• Renforcer les études sur l'alimentation et l'environnement, afin d'éliminer les risques avérés, en particulier en matière d'utilisation des engrais.

• Expérimenter des mécanismes incitatifs pour la nutrition ou le sport, tels que la fiscalité nutritionnelle.

• Améliorer la formation des médecins en matière de nutrition et de mode de vie.

• Développer l'éducation en santé, dès l'école primaire au-delà de ce qui existe déjà (par exemple sur l'hygiène dentaire, l'alimentation).

• Faciliter l'information sur les soins et la qualité des soins.

– Améliorer le diagnostic et la prise en charge des pathologies mentales :

• Accroître l'effort de recherche dans le domaine des neurosciences.

• Mettre en place des plans par pathologie qui intègrent l'ensemble des dimensions, notamment la vie avec la maladie.

• Sensibiliser à la psychologie le personnel non soignant des établissements de soins.

• Mieux orienter les patients qui souffrent d'addiction, aujourd'hui systématiquement dirigés à tort vers des services psychiatriques.

– Poursuivre les réflexions sur les sujets éthiques liés à la santé comme :

• la médecine prédictive ;

• les traitements très coûteux ;

• la gestion des données de santé.

AXE 4 : SOUTENIR LA RECHERCHE
ET LES INDUSTRIES DE SANTÉ

– Encourager, en associant toutes les collectivités territoriales, le développement **de trois pôles français** (régions francilienne, lyonnaise et toulousaine), **des clusters de rang mondial**, attractifs pour les investisseurs.

AXE 5 : RÉFORMER LA GOUVERNANCE

La complexité des sujets, leur interdépendance, et les intérêts professionnels divergents doivent conduire à repenser les
processus actuels de décision.

– **Réinventer la « démocratie sanitaire ».** Donner un poids plus
fort à la voix des patients et à leur ressenti, au parcours patient,
dans les travaux éthiques comme opérationnels. Pour cela, professionnaliser les associations de patients et renforcer leur poids
dans les processus de décision.

AXE 6 : ANTICIPER LES FUTURES RÉVOLUTIONS NUMÉRIQUE,
BIOTECHNOLOGIQUE ET GÉNOMIQUE

Le numérique et les percées scientifiques exigeront de :

– **Se saisir dès qu'elles sont matures des technologies améliorant
la qualité et la sécurité des soins et l'efficience globale.**
– **Accélérer la diffusion des technologies numériques** (big data,
réalité augmentée, cloud, Internet des objets...). En particulier,
pour améliorer :
  • **le suivi du dossier médical** et la connaissance des parcours
  patients ;
  • **l'épidémiologie** ;
  • **la lutte contre la fraude** (utilisation des technologies big
  data) ;
  • **l'optimisation opérationnelle** : le suivi à distance des
  malades, le suivi personnalisé, les personnes âgées, le dossier
  médical partagé, etc. ;
  • **la recherche** : nouveaux essais cliniques, médecine personnalisée, médecine liée au séquençage du génome, etc.
– **Lancer la numérisation des données médicales.**

– Accélérer les diagnostics largement assistés par ordinateur (ce qui va faciliter la détection et le traitement des problèmes « atypiques » ou rares, généralement sous-estimés par les médecins, ne serait-ce que parce qu'ils ne les ont jamais rencontrés) :
• une formalisation des diagnostics portés et du choix de la stratégie de soins ;
• la définition systématique de protocoles de soins résultant de l'analyse statistique du passé ;
• un suivi systématique, et systématiquement enregistré, de l'évolution de la maladie (données sur les médicaments pris, les paramètres biologiques, les constats des professionnels de santé…), qui permettra d'analyser ce qui fonctionne ou non, et de comprendre les éléments de contexte (autres médicaments…) influant sur le résultat ;
• un recueil systématique des opinions des patients post-hospitalisation.
Une telle évolution présuppose un grand débat national, dans lequel les associations de patients auront un rôle très important à jouer, sur l'enregistrement et le partage des données de santé, pour rendre possible le travail sur la pertinence des diagnostics et l'efficacité des stratégies de soins sur la base de données anonymes.

AXE 7 : LA DÉPENDANCE

– Utiliser, pour la gérer, la branche maladie, qui est déjà très souvent concernée.
– Améliorer la formation du personnel soignant (par exemple Fepem et Iperia) et faciliter la création de structures privées et publiques capables de gérer efficacement les personnes dépendantes d'un territoire donné (numérisation, connexions).
– Encourager les entreprises de robotique et de mécanique permettant de corriger les handicaps liés à la dépendance (de la baignoire à porte latérale aux squelettes externes).

18

Les handicaps

« La Nation assure à l'individu et à la famille
les conditions nécessaires à leur développement. »
Préambule de la Constitution de 1946,
adossé à la Constitution du 4 octobre 1958

Le handicap est gravement méconnu en France ; la société tout entière, de l'école à la vie active, en passant par la télévision, fait tout pour l'occulter. Qu'il s'agisse de traumatisés crâniens, d'aveugles, de sourds et de malentendants, de victimes de handicaps physiques, moteurs ou mentaux.

En France, 2,5 millions de personnes sont en situation de handicap reconnu, en 2014. Elles représentent 1 % de la population des bac et bac +, et 2,8 % au-dessous. 1,17 million sont dans la population active, dont 450 000 en recherche d'emploi. 120 000 sont employées en milieu protégé (ESAT), 360 000 dans le secteur privé soumis à obligation (OETH), 210 000 dans le secteur public, 30 000 dans les entreprises adaptées.

La loi du 11 février 2005 pour l'égalité des droits et des chances, la participation et la citoyenneté des personnes handicapées a approfondi les droits des personnes handicapées et a fixé comme objectif leur intégration pleine et entière au sein de la société. Mais cette loi affirme un objectif sans aucune portée normative.

Alors que presque 260 000 enfants sont reconnus comme handicapés au titre de l'orientation scolaire, 103 000 sont scolarisés en milieu ordinaire dans le premier degré, 75 840 en milieu ordinaire dans le second degré. 80 000 enfants sont scolarisés dans des établissements médico-sociaux et hospitaliers. Beaucoup sont déscolarisés, exclus *de facto* du système scolaire. Les auxiliaires de vie scolaire, particulièrement dédiés, ne sont que 62 000. Ils méritent d'être accompagnés plus attentivement par des programmes de formation continue. Aujourd'hui, ils ne doivent suivre qu'une formation de 60 heures assurée par des établissements hospitaliers et médico-sociaux. Cette formation est très insuffisante, notamment pour la prise en charge de handicaps particulièrement lourds.

Depuis la loi de 2005, l'Éducation nationale a pourtant mobilisé des moyens importants pour assurer la scolarisation des enfants handicapés. Ce budget étant passé de 755 millions d'euros en 2007 à plus de 1,5 milliard d'euros en 2014. Le premier poste de dépense correspond aux rémunérations des enseignants spécialisés (enseignants référents qui assurent le suivi des enfants handicapés au sein des établissements scolaires et enseignants affectés dans les établissements hospitaliers et médico-sociaux). Le deuxième poste de dépense correspond aux frais de personnel des auxiliaires de vie scolaire (AVS) et des personnes sous contrat aidé (emploi vie scolaire, EVS). Ce doublement budgétaire en sept ans n'a pas été à la mesure des besoins.

Par ailleurs, les enseignants, tous susceptibles d'accueillir dans leurs classes un élève souffrant d'un handicap, ont tout autant besoin d'être formés spécifiquement à cela. Non seulement pour améliorer leur prise en charge et leur accueil, mais aussi pour veiller à ce que l'élève soit accueilli dans un climat de tolérance. Malgré l'affichage de priorités par l'Éducation nationale et les chefs d'établissement, la formation des enseignants au handicap relève aujourd'hui du simple volontariat.

Enfin, pour ce qui est des instituts scolaires spécialisés, la coopération du ministère de la Santé avec l'Éducation nationale reste bien trop insuffisante aujourd'hui. Le cadre de cette coopération est fixé par un décret du 2 avril 2009 qui précise notamment le contenu de l'accompagnement dont bénéficient les enfants accueillis, les modalités d'intervention des personnels des établissements et services médico-éducatifs en milieu ordinaire, et le contenu des conventions passées entre les établissements scolaires et spécialisés. Malgré ce décret, il y a aujourd'hui très peu de coopération et très peu de conventions semblent avoir été signées.

PROPOSITIONS

– Appliquer la loi de 2005 et dépasser les blocages – notamment des collectivités – en matière d'accessibilité.
– Développer l'emploi d'accompagnateur externe chargé d'aider à trouver un emploi, de conseiller dans l'emploi et plus généralement d'un suivi sur mesure.
– Augmenter à budget constant de 33 % l'allocation adulte handicapé (AAH) en étant plus strict sur les critères d'éligibilité.
– Se fixer comme objectif la scolarisation en 2022 de tous les enfants handicapés sans exception. Pour cela :
  • Doubler le nombre d'auxiliaires de vie scolaire en cinq ans.
  • Doubler les heures de formation des auxiliaires de vie scolaire, avant leur prise de fonction et dans le cadre d'une formation continue.
  • Former tous les enseignants à la prise en charge d'un élève handicapé et à la transmission de valeurs de tolérance à l'ensemble de la classe.
– Imposer un quota, dont le respect serait contrôlé par le CSA, en matière de représentation des personnes handicapées (et

de *tous* les handicaps) dans les médias, pour changer le regard collectif sur le handicap.

– Revoir les procédures administratives pour les alléger et simplifier la vie des familles.

19

Les retraites

Le sujet est d'une grande urgence : en 2015, les dépenses de retraite représentent 13,6 % du PIB, soit bien plus que la moyenne de l'Union européenne (autour de 10 %) et de l'OCDE (autour de 8 %). L'âge effectif de départ à la retraite est le plus bas de l'OCDE : 59,8 ans pour les femmes et 59,4 pour les hommes ; les hommes passent en moyenne 23 ans à la retraite, les femmes 27,2 ans, soit cinq années de plus que la moyenne des pays développés.

En France, si le régime général fonctionne par répartition, les régimes complémentaires du secteur privé que sont l'Agirc et l'Arrco fonctionnent par points. Chaque assuré acquiert des points qui lui sont propres et la pension versée est proportionnelle au nombre de points acquis. En Suède, le régime en comptes notionnels gère les cotisations en répartition (comme le régime général français) et ajuste le montant total des droits selon l'espérance de vie de la génération arrivant à l'âge de la retraite.

Le système est mal géré : le coût de gestion des régimes de retraite en France est le plus élevé de l'Union européenne, où il représente en moyenne 1,19 % des prestations versées. Au Royaume-Uni et en Espagne, il s'élève à 0,67 %, en Allemagne à 1,23 %, en Italie à 1,35 % et en France à 1,92 %. Les régimes de retraite complémentaire sont encore plus mal gérés. Ils concernent 18 millions de salariés et 12 millions de retraités pour l'Arrco et 4 millions de salariés et 3 millions de retraités pour l'Agirc, et la gestion est assurée par 37 institutions de retraite complémentaire appartenant pour la plupart à des grands groupes de protection sociale. Le potentiel d'économie en France est évalué par l'Union européenne entre 2,5 et 3 milliards d'euros.

Sur le long terme, le système n'est pas financé ; le déséquilibre entre dépenses et revenus des retraites met en péril la pérennité du système : la dette cumulée des régimes pourrait représenter 25 % du PIB à l'horizon 2040.

PROPOSITIONS

– Porter **l'âge de la retraite à 63 ans**, sauf pour ceux qui sont en chômage au-delà de 60 ans.
– Porter **la durée de cotisation à 43 ans** au cours des dix prochaines années. Ce rattrapage rapide pourrait ensuite être suivi d'une **évolution plus douce** qui prendrait en compte les gains d'espérance de vie : par exemple, une augmentation de deux tiers des gains d'espérance de vie garantirait un équilibre plus durable.
– **Permettre d'arbitrer plus librement entre durée de la retraite et niveau de la pension.**

Le levier de la durée de cotisation et le jeu des surcotes/décotes de part et d'autre de cette durée de cotisation permet de préserver cette liberté d'arbitrage. Il est à la fois juste et efficace : un départ anticipé choisi signifie un niveau de pension plus faible mais une retraite plus longue tandis qu'un départ tardif signifie un niveau de pension plus élevé mais une retraite plus courte.

– Mettre en place un système de comptes individuels de cotisation retraite.

Passer à la retraite notionnelle, calculée par une accumulation de points, avec la possibilité de solder son compte à tout âge de la vie. Elle permettrait d'acquérir des points en période de chômage, de congés maternité ou de congés maladie. Dans ce schéma, inspiré du système suédois, chacun cotiserait le même pourcentage de son salaire pour la retraite. Les cotisations (ou « droits à la retraite ») seraient créditées sur un compte individuel. Ces cotisations serviraient à financer les retraites (maintien du régime par répartition). Tout euro versé ouvrirait des droits, à tout âge, quel que soit son statut. Les individus pourraient ainsi arbitrer librement entre montant de leur pension et durée de leur retraite, à tout moment. Lorsque la personne déciderait de recevoir sa retraite, le compte serait converti en pension, dont le niveau serait calculé selon l'âge et la génération. Le rendement du système serait compatible avec l'évolution économique et démographique.

Ce dispositif permettrait de clarifier les droits à la retraite pour les jeunes générations et rendrait plus transparent le débat public sur le niveau souhaité de cotisation vieillesse et sur la part nationale que l'on souhaite consacrer aux dépenses de retraite obligatoires.

Les avantages non contributifs (chômage, maternité, retraite, maladie, minimum vieillesse) seraient versés directement sur chaque compte individuel.

Le principe d'équité intergénérationnelle serait respecté, puisque si une génération bénéficie d'une croissance économique favorable, elle serait « naturellement » amenée à constituer les réserves nécessaires aux besoins de financement accrus lors de son départ à la retraite.

Les salariés aux revenus modestes ayant des carrières longues en bénéficieraient directement, leur compte de cotisation étant alimenté plus longtemps.

– Moduler le point de retraite selon la pénibilité.

– Réserver 10 % à 25 % de la retraite à la capitalisation, car les retraites doivent être autant indexées sur le travail que sur le capital (c'est-à-dire la situation de l'économie).

– Unifier la gestion des retraites de tous les systèmes dans une seule caisse et un seul guichet afin de s'adapter à la mobilité professionnelle : l'éparpillement rend difficile la reconstitution des droits.

– Unifier tous les régimes spéciaux avec le régime général pour tous les nouveaux cotisants et pour tous ceux qui sont à plus de huit ans de l'âge de la retraite.

– Adopter les mêmes règles pour le public et pour le privé en calculant sur les 25 meilleures années.

– Faire naître, sur le modèle canadien, une grande caisse des retraites de l'ensemble des agents du service public, en confiant la gestion des fonds à un fonds autonome soumis à une gouvernance indépendante et à des exigences de rentabilité prudente.

20

Aménager les territoires

« Il est temps de décider. »
Rapport du comité pour la réforme
des collectivités locales, mars 2009

La France a choisi d'être une nation sédentaire, oubliant sa dimension maritime et portuaire. Elle a empilé les structures territoriales, pour ne pas avoir à choisir. Elle a abandonné bien des territoires et ceux qui y vivent. Les zones de rayonnement économique au potentiel considérable sont délaissées : en témoignent le préoccupant sous-investissement dans le Bassin parisien – par comparaison avec le Grand Londres, par exemple – et le manque d'intérêt pour l'axe majeur du pays qui relie Le Havre à Marseille en passant par Rouen, Paris et Lyon.

Même si l'on a réduit récemment de 22 à 13 le nombre de régions, et si l'on achève la carte de l'intercommunalité en s'assurant que toute commune appartienne à un établissement public de coopération intercommunale, il y a toujours en France 36 000 communes et 95 départements, et bien d'autres niveaux encore.

Avec quelque 36 700 communes, réparties désormais dans 13 régions hexagonales et 4 régions d'outre-mer hors Mayotte, la France compte, à elle seule, la moitié de toutes les communes d'Europe (12 000 en Allemagne, 8 000 en Italie et en Espagne). 86 % des communes françaises comptent moins de 2 000 habitants (alors que la moyenne des communes européennes est d'environ 5 000 habitants). Et cela n'est pas dû essentiellement à des raisons historiques : nos voisins européens, eux aussi, ont connu une ère où leur nombre de communes était pléthorique. Tous ont choisi de fusionner leurs petites communes dès les années 1960. L'Allemagne est passée en trente ans de plus de 30 000 communes à environ 12 000. La loi, aux Pays-Bas, fixe une population minimale par commune, 5 000 dans les années 1970, remontée à 25 000 dans les années 1990.

En France, la réforme territoriale inaboutie de 2010 prévoyait de supprimer les cantons et de créer des conseillers territoriaux remplaçant les conseillers régionaux et départementaux, avec une dose de proportionnelle. La loi du 17 mai 2013 relative à l'élection des conseillers départementaux, des conseillers municipaux et des conseillers communautaires procède à une nouvelle délimitation de l'ensemble des circonscriptions cantonales, sur la base de critères strictement démographiques.

Ces atermoiements législatifs occultent une des réalités historiques et toujours actuelles de la géopolitique des territoires en France : les régions défendent les villes et les départements défendent les territoires périphériques.

Les compétences des collectivités territoriales restent confuses. L'article 9 du projet de loi initial NOTRe qui prévoyait le transfert des quelque 378 000 kilomètres de routes départementales aux régions a été supprimé, dès la première lecture, par le Sénat, qui a invoqué un « dessaisissement trop lourd de compétences » au détriment de la collectivité départementale.

La politique de la ville est aussi incohérente et délaisse des territoires. Les métropoles bénéficient d'un statut juridique officiel depuis 2010. Après Nice en 2012, 11 nouvelles métropoles (Bordeaux, Lille, Grenoble, Nantes, Rennes, Rouen, Strasbourg,

Toulouse, Montpellier, Brest et Lyon) ont été créées en 2015 et 2 supplémentaires (Grand Paris et Aix-Marseille-Provence) en 2016. Ces grandes villes sont désormais en charge des questions liées notamment au développement économique, à l'environnement, à l'aménagement urbain et aux transports sur leurs territoires.

En retenant le niveau de revenus des ménages comme critère unique d'éligibilité, la nouvelle géographie prioritaire de la politique de la ville, pour la période 2014-2020, a exclu 350 communes et en a intégré une centaine de nouvelles. Les territoires qui bénéficieront de la prochaine génération de contrats de ville sont désormais les quartiers urbains les plus pauvres. Le Nouveau Programme national de rénovation urbaine (NPNRU) constituera le cadre privilégié de la construction de logements pour les ménages les plus modestes, dans les centres urbains dégradés.

Les campagnes hors influence d'un pôle urbain ne sont désormais habitées que par moins de 5 % de la population française. Les sortir de l'isolement est pourtant essentiel pour eux, et pour l'avenir du pays. Le gouvernement actuel s'est ainsi engagé à couvrir, en 2016, les 237 communes hexagonales en « zone blanche », c'est-à-dire non couvertes en téléphonie mobile et numérique, et à améliorer la couverture, en 2017, des 2 200 communes qui n'ont accès qu'à de la 2G. Il prévoit également de multiplier par trois le nombre de maisons de services publics, qui regroupent en un seul lieu Pôle Emploi, les Assedic, la Caisse d'allocations familiales et un guichet SNCF, et d'entretenir un réseau de 800 « maisons de santé », structures regroupant plusieurs spécialistes, dans les zones rurales.

Aujourd'hui, 40 % des Français sont des « rurbains » : c'est-à-dire qu'ils vivent à la campagne et travaillent en ville. En particulier, la population de la couronne périurbaine de l'agglomération parisienne a crû à un rythme deux fois supérieur à la moyenne nationale depuis 1982. L'habitant périurbain type

est un adulte jeune avec enfants, agent de maîtrise ou technicien travaillant dans le secteur des services, propriétaire de sa
maison, et la famille possède deux voitures. Ils seront bientôt
bien plus nombreux encore.

Les périurbains sont, dans l'ensemble, détenteurs d'un
patrimoine mobilier et immobilier plus important que les habitants des agglomérations. Ils sont deux fois plus motorisés que
ceux des agglomérations, deux fois plus souvent propriétaires
que ceux des communes-centres, une fois et demie plus que
ceux de banlieue. Ils disposent de logements plus grands et
dépensent plus pour l'ensemble « logement et transport » que
les habitants de l'agglomération, notamment ceux de sa zone
centrale.

Les communes rurbaines sont, paradoxalement, celles où
l'on construit le plus de maisons individuelles en France, et
le principal moteur de l'étalement urbain. Les populations
« autochtones » voient ainsi débarquer sans plaisir dans leurs
campagnes de nouveaux arrivants. Les nouveaux rurbains,
eux-mêmes, développent parfois le syndrome des « derniers
arrivés » et, confrontés aux inconvénients générés par leur
nouvel éloignement des centres, peuvent s'avérer perméables à
tout discours stigmatisant les « assistés ». Leurs habitants perçoivent des revenus plus élevés que ceux des banlieues, mais
souffrent de conditions de vie plus dures que celles imaginées :
ils passent la majeure partie de leur temps éveillé hors de chez
eux, dans les transports et dans les centres-villes ; et ces transports consomment en moyenne un tiers de leur budget.

Le gouvernement actuel s'est engagé à définir une politique
spécifique pour le périurbain, pour « favoriser la cohésion et la
mixité sociale, améliorer la qualité de vie des habitants, et faciliter notamment l'accès aux transports, à la santé, à la culture et
aux commerces par la création d'un "lab du périurbain", l'organisation d'ateliers territoriaux de l'ingénierie périurbaine dès
2016, l'élaboration de conventions cadres sur le développement
et l'innovation dans ces territoires, le lancement d'une mission

sur la revitalisation des petits commerces en centre-ville et en centre-bourg[1] ». Cela reste pourtant encore à définir.

France 2022 formule des propositions autour de trois grands axes : développer les capacités locales à agir sur les territoires ; accélérer la métropolisation ; prendre un soin particulier des zones rurbaines et des territoires oubliés de la République.

PROPOSITIONS

AXE 1 : RENFORCER LES CAPACITÉS DE TOUS LES TERRITOIRES

– Procéder au regroupement des plus petites communes de France, en fixant une population minimale (2 000 habitants) par commune et en définissant les mécanismes et les périmètres de fusion les plus pertinents.
– Affecter à chaque commune regroupée un conseiller municipal spécifique faisant fonction de maire.
– Supprimer les cantons et faire coïncider les circonscriptions électorales des conseillers départementaux avec le périmètre des communautés de communes.
– Décharger le département du traitement de problématiques de transport (y compris scolaire), d'urbanisme et d'enseignement, qui relèvent désormais de la responsabilité des régions.
– Transférer aux régions la gestion des routes départementales et la gestion des collèges.
En Guadeloupe – région il est vrai monodépartementale –, la création, en 2007, du syndicat mixte Routes de Guadeloupe,

---

1. Communiqué de presse de la ministre du Logement, de l'Égalité des territoires et de la Ruralité du 8 janvier 2016, à la remise du rapport de Frédéric Bonnet, Grand Prix de l'urbanisme 2014.

à l'initiative de la région Guadeloupe et du conseil général de la Guadeloupe, a constitué un gage d'efficacité dans la gestion, l'entretien et l'exploitation du domaine public routier national et départemental.

– Transformer les services déconcentrés de l'État en « agences territoriales de développement », en leur reconnaissant un pouvoir d'initiative et d'expérimentation locales.

– Développer l'observation et la prospective territoriale, en redynamisant les actions d'organismes gouvernementaux de recherche spécialisés en urbanisme et en transport, et en encourageant la convergence des méthodes.

AXE 2 : ACCÉLÉRER LA MÉTROPOLISATION

– Structurer la France en trois réseaux de métropoles :

• **Paris, Lyon et Marseille** sont ses « divisions de combat » naturelles à l'échelle mondiale.

• Une **Île-de-France élargie** devrait nouer des liens étroits avec les deux Normandie unifiées ; et un rapprochement semblable devrait être engagé entre les régions Rhône-Alpes et Provence-Alpes-Côte d'Azur.

• **Le Grand Paris** (qui doit aller jusqu'à Rouen, au Havre et à Caen) doit devenir une réalité : une Autorité du Grand Paris devrait se voir confier les compétences économiques pleines et entières, ainsi que les compétences logement et transports, et veiller à articuler au mieux ces trois politiques.

• **Quinze métropoles de rang européen** (une par région) doivent mobiliser les territoires et assurer la cohérence de leur région.

• **Cinquante autres métropoles** doivent accueillir des cités de l'innovation, et l'essentiel des services publics de haut niveau.

– **Fusionner les départements avec les métropoles** lorsqu'elles existent, et ne conserver que 50 départements ailleurs ; limiter leurs compétences aux questions sociales, ainsi qu'à l'économie dans le cas des territoires dépourvus de centres métropolitains.
– **Rationaliser les intercommunalités, pour les faire correspondre aux 1 600 bassins de vie.**

Élire les dirigeants des intercommunalités au suffrage universel en attendant la fusion de ces communes ; les maires devraient être leurs délégués dans les communes. Des décisions budgétaires devraient également être prises à ce niveau. Une telle réforme pourrait générer des économies équivalant à un point de PIB, sur les dix points que représente le bloc communal.

Le maillage du territoire auquel cela conduirait permettrait de lancer d'autres grandes réformes de politiques publiques, notamment en matière de santé : il permettrait d'envisager une articulation de deux à trois « maisons de santé » par bassin de vie avec 300 à 500 hôpitaux au total dans le pays, et un développement de l'e-santé, afin d'atteindre les objectifs de renforcement de la prévention et du désengorgement des urgences hospitalières.
– **Confier aux régions la coordination des métropoles**, dans le cadre d'une vision globale pilotée par l'État. Celui-ci aurait pour mission d'évaluer les investissements structurants qui ne peuvent être engagés par les collectivités territoriales et de les réaliser.

AXE 3 : DONNER LA PRIORITÉ AUX « CAMPAGNES URBAINES »
ET AUX TERRITOIRES OUBLIÉS DE LA RÉPUBLIQUE

– **Étendre les politiques de la ville et de rénovation urbaine aux zones périurbaines et rurbaines**, notamment en intégrant un volet culturel aux maisons de services publics telles que définies au chapitre sur la culture.

– Rendre obligatoire la réalisation de locaux collectifs résiden-
tiels (LCR) dans les projets de lotissements de plus de 50 logements.

Cette obligation existait dans l'article 50 de la loi du 22 juin
1982 dite « loi Quilliot[1] », qui imposait la construction de tels
locaux dans « tout bâtiment ou ensemble de bâtiments d'ha-
bitation de plus de 50 logements » mais la loi du 23 décembre
1986 tendant à favoriser l'investissement locatif, l'accession
à la propriété de logements sociaux et le développement de
l'offre foncière a abrogé la « loi Quilliot ». Dès lors, il n'y a
plus d'obligation de réaliser de tels locaux. Pourtant, cette
disposition est nécessaire pour améliorer la qualité de vie des
lotissements. Avec des parents absents la plupart du temps,
en semaine, les enfants et les adolescents des zones rurbaines,
aujourd'hui livrés à eux-mêmes, seront les grands bénéficiaires
de ce dispositif.

– Organiser des péréquations financières sous la forme de
contractualisations métropoles-territoires rurbains.

– Valoriser les espaces naturels et agricoles, *via* des services
éco-systémiques pour lutter contre les mécanismes spéculatifs
qui pèsent sur ces terrains.

– Établir des zones franches provisoires, par communes rurbaines, pour y amorcer le développement des services à la personne et les activités artisanales.

L'objectif est double : d'une part, inciter les entreprises qui
répondent aux besoins des nouvelles populations rurbaines à
s'implanter et créer de l'emploi et d'autre part soutenir les activités existantes dans les zones périurbaines.

Les avantages fiscaux des zones franches devraient être
orientés vers les services à la personne et vers les activités artisanales.

---

1. Loi relative aux droits et obligations des locataires et des bailleurs.

21

Le monde rural, l'agriculture
et la transition écologique

« Notre sort est indissociable de celui
de l'environnement. Arrêtons de nous
croire au-dessus ou en dehors. »
Pierre Rabhi

Le monde commence à prendre conscience des enjeux à long terme du développement. L'économie positive, qui prend en compte l'intérêt des générations suivantes, commence à se faire entendre.

La France est une terre bénie des dieux. Son environnement est un des plus beaux du monde. Pour le conserver, il faut être plus que jamais vigilants et exigeants. De même, son agriculture est une de ses richesses. Et l'une doit être pensée avec l'autre.

L'agriculture est une des richesses de la France, aujourd'hui maltraitée par les erreurs de la globalisation et menacée à l'avenir par les enjeux de la protection de l'environnement. Elle doit être pensée dans le contexte de l'environnement, et du cadre de vie dont elle a la garde.

L'agriculture et l'agroalimentaire français sont devenus, au cours du récent demi-siècle, l'une des principales ressources économiques de notre pays. Nous pouvons d'autant moins négliger cette richesse que la population mondiale passera en 2050 à 10 milliards d'habitants. Il faudra bien essayer de les nourrir.

Nous aurons donc besoin de mobiliser toutes les ressources, les techniques, le savoir-faire, les compétences disponibles pour améliorer encore la productivité de nos systèmes de production de matières premières alimentaires : céréales, sucres, poudre de lait, viandes de grande consommation... dans des exploitations plus grandes et livrant leurs productions, conformément à des relations contractuelles négociées, à des groupes de taille mondiale.

Cette agriculture moderne doit rester au cœur de notre politique agricole. Elle a besoin d'être accompagnée et soutenue dans ses efforts pour mieux prendre en compte les demandes environnementales et écologiques de la société. Et les pouvoirs publics doivent lui assurer un minimum de stabilité des prix par l'encouragement aux relations contractuelles et par les aides contracycliques, comme les pratiquent les États-Unis. Cette protection, indispensable dans l'agriculture, où toute variation de volume se traduit par de grandes variations des prix, ainsi que la lutte contre la spéculation sur les cours des denrées alimentaires doivent constituer un engagement présidentiel.

À côté de cette « grande agriculture » exposée aux vents du marché et qui doit être fièrement assumée, la France recèle des petits trésors qui se portent bien : les « appellations d'origine contrôlée », vins, fromages, beurres, viandes..., produits de nos terroirs et de nos savoirs. Il convient de continuer à défendre cette spécificité française désormais reconnue au niveau européen. Elle maintient la vie humaine et la nature des régions difficiles comme les zones de montagne. Cette agriculture et ces viticulteurs font partie du patrimoine gastronomique et culturel de France.

À côté de cette agriculture de qualité se développe depuis quelques années une nouvelle forme d'approvisionnement alimentaire des populations urbaines dans ce que l'on appelle des circuits courts à partir des exploitations de polyculture, élevages d'orientation biologique. Des associations mettant en relation ces petits producteurs et des consommateurs permettent un développement rapide et diversifié de ce troisième type d'agriculture. Il pourrait s'affirmer encore plus au cours des années à venir si l'on encourage les formes de restauration collective (écoles, maisons de retraites, hôpitaux) à s'approvisionner prioritairement dans leur proche environnement géographique.

La France a été pionnière dans certains domaines, par exemple avec la loi sur l'eau de 1964. De même, elle est pionnière quand, quarante ans après, en 2005, par une révision constitutionnelle, elle a choisi d'adosser à sa Constitution la Charte de l'environnement de 2004. Même si le principe de précaution a donné lieu à des dérives fort dangereuses. De même, le « Grenelle de l'environnement » de 2007 a reflété une prise de conscience plus large, notamment par les plus jeunes générations, soucieuses des enjeux les plus globaux du climat et de la biodiversité, et des impacts d'un environnement dégradé sur la santé et la qualité de vie. Enfin, la COP21 de décembre 2015 a été un succès politique et diplomatique français indéniable.

Mais rien n'est réglé : un tiers des communes n'ont pas de réseau d'assainissement des eaux correct et un Français sur cinq n'a pas accès au tout-à-l'égout, ce qui est unique en Europe. Par ailleurs, l'intensification de certaines pratiques agricoles est une source importante de pression pour la biodiversité : monocultures et assolements peu diversifiés homogénéisant les paysages et les espèces, utilisation de pesticides, ou encore emploi massif d'engrais chimiques. Les enjeux de la pollution par les nitrates sont à la fois sanitaires, conduisant à la réglementation de leur teneur dans l'eau potable, environnementaux, avec l'eutrophisation des cours d'eau et des eaux littorales, et économiques, la lutte contre cette pollution induisant des coûts importants. Les pesticides demeurent aussi très présents, les contaminations touchant en premier lieu les cours d'eau, notamment dans les zones de grandes cultures. Les nappes sont également polluées.

La « fiscalité verte », qui doit viser à refléter la rareté des ressources et les dommages des pollutions, ne représente plus, en 2012, que 1,8 % du PIB contre 2,5 % du PIB en 1996, loin derrière le Danemark (4,3 %), la Slovénie (3,8 %), les Pays-Bas (3,6 %) alors que, en 1996 encore, la France se situait à un niveau proche de la moyenne de l'Union européenne. En matière d'énergie, les énergies renouvelables et le nucléaire sont, avec les économies d'énergie, les meilleures réponses aux enjeux climatiques.

Dans le même temps, l'agriculture française est gravement menacée par la concurrence internationale, par divers embargos et de nombreuses erreurs de gestion. Elle a perdu son avantage, même par rapport aux voisins européens. Il est aujourd'hui clair que l'agriculture bio suffirait à nourrir la population mondiale sans engendrer de pollution. Une difficulté pour passer à l'acte réside dans la concomitance avec l'autre défi majeur que doit relever l'agriculture française, qui est celui de sa compétitivité. L'érosion tendancielle de celle-ci, aussi bien dans ses dimensions « prix » et « hors-prix », qui touche à la fois les productions agricoles et certaines industries de transformation, obère en effet sa capacité à tirer profit des tendances favorables sur la demande globale, les contraintes compétitives sur les marchés, aussi bien européens qu'extra-européens, étant très fortes. Un projet d'avenir pour notre agriculture doit donc intégrer les deux défis, l'environnement pouvant être source d'opportunités pour l'agriculture, et la réduction de ses impacts négatifs sur l'environnement être compatible avec sa compétitivité. Il est par ailleurs nécessaire d'établir des cadres de régulation propices à la réduction des fluctuations excessives des cours des matières premières agricoles, dans le double souci de garantir l'accès à l'alimentation et de ne pas décourager l'investissement dans l'agriculture. Aussi faut-il penser l'avenir de l'agriculture avec celui de l'environnement.

De là découlent les engagements présidentiels suivants.

Propositions

Axe 1 : valoriser l'agriculture et l'agroalimentaire français

– **Encourager le développement de filières puissantes,** bien organisées, dotées de champions efficaces dans les secteurs de grande consommation.
– **Développer la fonction stratégique du ministère de l'Agriculture** au détriment de la réglementation et du contrôle.
– **Donner de plus larges responsabilités aux régions** en leur confiant la gestion des crédits communautaires destinés aux aspects environnementaux de la production agricole.
– **Favoriser l'agriculture de proximité** en encourageant les relations directes entre les producteurs et toutes les formes de restauration collective et les consommateurs.
– Obtenir dans la négociation communautaire de la prochaine **PAC (2020)** des instruments de **régulation des marchés agricoles assurant un minimum de stabilité des prix.**
– **Défendre** dans toute les instances appropriées (EU,OMC) **notre système de reconnaissance des signes de qualité** (AOC).

Axe 2 : promouvoir une agriculture durable

La protection de l'agriculture doit être faite dans le cadre d'un grand projet européen, en se libérant autant que possible des règles imposées par les États-Unis à l'OMC pour le seul bénéfice de l'agriculture américaine.

La protection de notre capacité propre à nous nourrir est essentielle. Les paysans sont les jardiniers de la nature et doivent être rémunérés comme tels. Tout doit être fait pour protéger les marques et les lieux d'origine de productions agricoles de France et pour les orienter vers une exigence de qualité environnementale.

– Interdire le glyphosate et toutes les autres substances actives excessivement nocives. Tous les espaces publics devront être garantis sans produits chimiques sous deux ans. Les revendeurs de ces produits devront être dédommagés.

– Privilégier l'étiquetage sur la qualité du produit plutôt que le « produit en France ».

– Soutenir vigoureusement les bonnes pratiques et l'agriculture positive.

– Renforcer les aides au passage au bio et les étendre à la conversion à l'agriculture raisonnée.

– Créer un indice de la biodiversité pour les agriculteurs qui font l'effort d'avoir des insectes pollinisateurs, de favoriser la faune et de varier les cultures.

AXE 3 : PRÉSERVER L'ESPACE ET LA BIODIVERSITÉ

– Renforcer les connaissances et la réglementation des zones de biodiversité, notamment Natura 2000.

– Interdire les polluants dangereux.

• Interdire d'ici dix ans les détergents et tous les produits dangereux pour la santé de l'homme et des êtres vivants.

• Lancer un plan pesticide renforcé.

• Moduler les aides agricoles selon un ratio tonnages production/tonnages intrants variant selon les produits.

• Imposer un plan eaux et cours d'eau à chaque commune (assainissement obligatoire et eaux pluviales).

– Imposer des normes plus contraignantes pour les produits ménagers, et surtout pour les produits industriels des entreprises de nettoyage.

– Créer un label national « Jardins propres » avec une modulation de la fiscalité locale.

AXE 4 : MODIFIER LES COMPORTEMENTS ALIMENTAIRES

– Imposer à toutes les cantines scolaires de proposer un menu **végétarien**. Les effets d'une moindre consommation de viande sur la santé des enfants sont scientifiquement établis. Cette mesure peut être rendue également applicable aux hôpitaux et aux prisons. Des mesures compensatoires devront être mises en place pour les éleveurs.

AXE 5 : LUTTER EFFICACEMENT
CONTRE LE CHANGEMENT CLIMATIQUE

– Lancer une campagne nationale de rénovation thermique des bâtiments.
– Assumer une fiscalité climat européenne.
  • Afficher une **taxe carbone** simple et lisible à **60 euros la tonne**.
  • Moduler la fiscalité locale selon les performances énergétiques du bâti.
  • Créer un **indice transport** (déplacements personnels et marchandises) pour les entreprises, fiscalement valorisé.
  • Taxer fortement puis interdire les chaudières fioul.
– Réduire la consommation de produits carbonés.
  • Créer une pastille CO_2, affichable sur les produits.
  • Améliorer l'éco-prêt à taux zéro.
– Polluer moins en circulant mieux.
  • Lancer un **plan transports publics** de grande envergure.
  • Améliorer le **réseau routier** pour en réduire les impacts carbone indirects (aires de covoiturage et parkings relais, création de sorties dans les aires d'autoroute pour réduire les trajets, files réservées pour les transports en commun).
– Planifier le post-carbone.

• Lancer un plan « Potentiel nouvelles énergies et réseaux chaleur », à faire réaliser par chaque intercommunalité.
• Mettre en place des plans de cohésion des équipements publics.
• Protéger et conforter la filière nucléaire française.

AXE 6 : DÉVELOPPER LES PLEINES CAPACITÉS
DE L'ÉCONOMIE CIRCULAIRE

– Instituer un plan de sauvegarde de l'eau et pénaliser financièrement les cultures irriguées.
– Interdire avant 2022 l'enfouissement de tout déchet en France.
– Étudier systématiquement les solutions alternatives (réutilisation, réemploi, recyclage) lors de l'édification de plans de construction ou de rénovation des incinérateurs.
– Créer des pôles de recherche dédiés à l'économie circulaire (éco-conception, recyclabilité des matériaux existants, création de nouveaux matériaux renouvelables).
L'économie circulaire doit mobiliser différents leviers : l'éco-conception, car, en prenant en compte le recyclage dès la conception du produit, la réutilisation de la matière sera facilitée ; la recherche de substituts renouvelables ; l'allongement de la durée de vie des produits et l'économie de la fonctionnalité.
– Étudier la rentabilité et la faisabilité d'un retour à la consignation de certains emballages, en intégrant le coût marginal de la tonne supplémentaire réutilisée ou recyclée et non plus des coûts moyens. Y intégrer aussi les coûts sociétaux (externalités négatives) des tonnages non traités, enfouis, incinérés.
– Favoriser la concurrence des éco-organismes pour éviter les situations monopolistiques.
– Renforcer la notion d'« achat durable » dans les appels d'offres de la commande publique.

AXE 7 : RÉFORMER LA GOUVERNANCE
DU DÉVELOPPEMENT DURABLE

– **Assurer l'essor de la fiscalité écologique** (gaz à effet de serre, déchets, artificialisation des sols, eau, pollutions locales de l'air).
– **Expliciter systématiquement les valeurs environnementales sous-tendant les normes** (lois/études d'impact et décrets) et justifier qu'elles ne font pas peser de charge excessive au développement économique, notamment en termes de restrictions à l'entrée (jusqu'aux arrêtés et circulaires de mise en œuvre).
– **Développer la finance verte.**

L'objet de la « finance verte » et plus généralement du « verdissement » de la finance est de fournir les instruments de financement appropriés pour réorienter l'investissement en faveur de la transition d'une économie bas carbone. Ces investissements, notamment ceux d'infrastructure, se caractérisent par des maturités très longues qui sont source de difficultés spécifiques pour leur financement. Il en va de même pour le partage des risques liés à l'innovation verte, son déploiement et sa diffusion dans l'ensemble des secteurs de l'économie.

Favoriser l'émergence de produits financiers spécifiques, innovants, analogues pour la finance des filières vertes dans l'énergie ou l'agriculture, visant à répondre à certains de ces besoins. Les « green-bonds », par exemple, sont des obligations émises pour le financement (ou le refinancement) de projets (ou activités) concourant à la transition écologique : énergies renouvelables, efficacité énergétique, gestion soutenable dans le domaine des transports, de l'agriculture, de la gestion de l'eau, ou encore des déchets. Les fonds communs de placement dédiés aux « investissements verts » manient le même type de sélection thématique.

– Promouvoir une gouvernance des nouveaux risques de nature à donner confiance.
  • Formaliser la mission de la recherche publique pour évaluer les risques, les moyens de les réduire, et trouver des solutions (autres que les simples moratoires).
  • Créer une gouvernance de l'alerte.
  • Identifier les besoins en autorités indépendantes, disposant directement des capacités d'expertise appropriées : par exemple, créer une « agence de l'alimentation ».

AXE 8 : DÉVELOPPER LA FRANCE VERTE

– Décupler le financement de la croissance verte et responsable.
  • Allouer l'intégralité des fonds du Livret de développement durable (LDD) à des structures attestant d'une activité durable.
  • Développer l'émission de « green-bonds » (obligations vertes) pour les PME, et non plus seulement pour les grands groupes.
  • Élargir l'éligibilité au mécénat à toutes les structures portant un agrément ESUS (entreprise solidaire d'utilité sociale).
– Inclure le citoyen dans les choix publics.
  • Dans les territoires : imposer la création de conseils citoyens.
  • Dans les entreprises : imposer la création de cercles d'innovations, représentés au conseil d'administration.
  • Au niveau de l'État : créer au sein de l'exécutif un haut commissariat au long terme, qui serait participatif.
– Inclure davantage le citoyen dans le processus décisionnel de l'action publique.
  Mettre en œuvre une formule juridique souple de « partenariat public-privé participatif » (PPPP ou 4P). En Allemagne, une grande partie des champs d'éoliennes est financée par du

crowdfunding local, appuyé par les territoires. C'est aussi imposer des budgets participatifs dans les territoires, ou encore
généraliser les programmes locaux de développement durable
élaborés de manière participative en rendant obligatoire un
« Agenda 21 » dans chaque territoire.

22

Les Outre-Mer :
valoriser cette richesse extraordinaire

> « La France est une République indivisible (…). »
> Constitution de la Ve République, Article 1er

Les Outre-Mer sont une richesse incroyable et jalousée de la France. Pourtant, leur situation socio-économique demeure préoccupante. Les taux de chômage sont supérieurs à 20 % dans les départements et régions d'Outre-Mer (DROM) et supérieurs à 10 % dans les autres collectivités d'Outre-Mer (COM). En comptant les collectivités d'Outre-Mer et Mayotte, le nombre de chômeurs ultramarins était de 410 000, soit presque un demi-million fin 2014. En 2012, le PIB par habitant dans les DOM représentait, en moyenne, 62 % du niveau de l'Hexagone, soit 83,2 % de la région métropolitaine la plus pauvre. Le taux de pauvreté est entre trois et quatre fois plus élevé en Outre-Mer qu'en métropole : il s'établissait par exemple à 42 % en 2010 à La Réunion. Pour avoir un point de comparaison, le taux de pauvreté s'élevait en 2011 en Seine-Saint-Denis à 24,8 %. Les enfants ultramarins ont deux à trois fois plus de chances de mourir lors de leur première année que leurs compatriotes hexagonaux. Les chiffres d'insécurité sont parmi les plus élevés de France dans certains territoires, comme en Guadeloupe ou en Guyane. Le taux d'illettrisme pour les

16-65 ans est de 7 % en France hexagonale, 14 % en Martinique, 20 % en Guyane, 23 % à La Réunion, 25 % en Guadeloupe, 33 % à Mayotte. Aux Antilles et en Guyane, un enfant
sur deux grandit dans une famille monoparentale, contre 37 %
à La Réunion et 24 % dans l'Hexagone.

Les territoires d'Outre-Mer souffrent par ailleurs d'une
dépendance très forte aux importations de produits manu-
facturés et agricoles, avec un taux de couverture[1] de 10 % en
moyenne (contre 93 % dans l'Hexagone). Le panier moyen du
consommateur est beaucoup plus élevé en Outre-Mer qu'en
métropole. Les prix sont en effet globalement supérieurs de
15 à 20 % aux prix constatés dans l'Hexagone, du fait notamment de l'octroi de mer, de capacités productives faibles et de
l'existence de monopoles locaux. Les situations de monopole et
d'abus de position dominante, notamment dans le secteur de
l'import-distribution, ont été l'un des motifs des mouvements
sociaux sans précédent qu'ont connus les DROM, en particulier
les Antilles-Guyane. L'objectif de la loi relative à la régulation
économique outre-mer de 2012 (« loi Lurel ») était pourtant de
lutter contre la vie chère, en déterminant un « bouclier qualité
prix » sur un panier de produits et en rendant plus transparent
le mode de fixation du prix des carburants.

Ce tableau noir dressé, il ne faut pas pour autant occulter
la logique de « rattrapage » qui guide, depuis 1946, les politiques nationales dans les départements d'Outre-Mer. En
Martinique, par exemple, le PIB par habitant est passé de
32 % à 68 % de la moyenne nationale en 40 ans (1970-2012).
À cette doctrine du rattrapage a succédé, depuis une vingtaine d'années, un discours officiel sur le « développement
endogène » des territoires ultramarins, développement que

---

1. Taux de couverture = valeur des exportations/valeur des importations.
Un taux de couverture inférieur à 100 % signifie que la balance commerciale est déficitaire. À l'inverse, un taux de couverture supérieur ou égal à
100 % signifie que la balance est équilibrée ou excédentaire.

favoriserait une meilleure insertion de ces derniers dans leur environnement géographique. La coopération régionale n'a, en réalité, jamais vraiment décollé sur le plan économique dans des zones elles-mêmes faiblement intégrées – le commerce intrarégional ne représente respectivement que 15 % et 5 % des échanges totaux des membres de la Caricom[1] et de la COI[2].

Tout en étant très majoritairement attachée à l'appartenance à la République française, une partie des DROM a pris le chemin d'évolutions institutionnelles divergentes, inaugurant une ère d'architectures institutionnelles différenciées dans les Outre-Mer. Ce mouvement juridique centrifuge, qui a ôté toute unité à la notion d'Outre-Mer, a presque quinze ans, puisqu'il date de la loi constitutionnelle du 28 mars 2003 qui autorise les régions d'Outre-Mer – sauf La Réunion – à déroger à la loi de droit commun en métropole et permet des expérimentations législatives territoriales. Aujourd'hui, les collectivités régies par l'article 73 de la Constitution relatif aux départements et régions d'Outre-Mer, présentent de fait des compétences normatives à géométrie variable.

Deux territoires se singularisent – et par là s'isolent – sur le plan culturel : tout d'abord Mayotte, devenue – juridiquement tout du moins – département français en 2011, est toujours profondément remuée par des transformations socioculturelles majeures qui ont été des préalables à cette départementalisation (suppression de la polygamie en 2010, fin de la justice dite « cadiale », constitution d'un état civil – jusqu'en 2000, les Français nés à Mayotte étaient identifiés par des vocables, et ce n'est

1. Caricom : Communauté caribéenne, organisation supranationale née en 1973 qui regroupe plusieurs États anglophones de la Caraïbe, le Suriname et Haïti.
2. COI : Commission de l'océan Indien, organisation intergouvernementale créée en 1982. Elle réunit cinq pays de l'océan Indien occidental : Union des Comores, France au titre du département de La Réunion, Madagascar, Maurice, Seychelles.

que par une ordonnance du 8 mars 2000 qu'a été créé un service d'état civil, pour donner à chaque Français de Mayotte un nom et prénom). Ensuite, évidemment, la Nouvelle-Calédonie, l'incertitude sur son avenir restant totale jusqu'au référendum d'autodétermination en 2018.

Il faut ajouter 4 caractéristiques qui doivent constituer autant d'atouts :

1. Avec une population globale de 2,6 millions d'habitants (sans compter le million d'habitants de ce que l'on appelle le « 6e DOM », c'est-à-dire les ultramarins résidant dans l'Hexagone), les Outre-Mer demeurent des territoires jeunes. Les moins de 20 ans représentent 34 % à La Réunion, 44 % en Guyane, 54 % à Mayotte contre 24 % dans l'Hexagone. Si le taux de natalité est quasi identique à l'Hexagone en Guadeloupe et Martinique, il est un peu plus élevé à La Réunion, en Nouvelle-Calédonie et en Polynésie (environ 17/1000 contre 12,5/1000 dans l'Hexagone), deux fois plus élevé en Guyane, où la population double tous les vingt ans, et à Saint-Martin (26/1000), et même trois fois plus élevé à Mayotte (40/1000). La Martinique et la Guadeloupe connaissent cependant un vieillissement accéléré qui en fera respectivement les deuxième et troisième régions les plus âgées de France à l'horizon 2030. En Guyane, à Saint-Martin et à Mayotte, la problématique migratoire est, pour le moins, prégnante : dans les deux collectivités d'Amérique, les natifs sont aujourd'hui minoritaires au sein de la population. À Mayotte, on estime qu'entre un quart et un tiers de la population totale sont des immigrés clandestins. En 2008, 50 % des expulsions de personnes en situation irrégulière sur le territoire français ont eu lieu à Mayotte.

2. Une révolution écologique est également en marche : les Outre-Mer sont le terrain tout à la fois d'avancées majeures en termes d'innovations scientifiques et techniques (énergies renouvelables, phytopharmacie) et d'archaïsmes étonnants

(gestion des déchets, de l'eau, pollution des milieux, faiblesse de l'agriculture locale). Les économies verte et bleue sont aujourd'hui clairement identifiées dans ces territoires comme des atouts remarquables de développement, qui ne font pas l'objet de politiques publiques à la hauteur.

3. Grâce aux Outre-Mer, la France est présente sur les cinq continents et possède le deuxième domaine maritime mondial et la première zone sous-maritime au monde, avec des droits quasi exclusifs sur l'exploitation des fonds marins et souterrains, ce qui lui offre des leviers incroyables en matière de développement de l'éolienne offshore, de l'énergie houlomotrice[1], de l'énergie hydrolienne[2], de l'énergie marémotrice[3], ou encore de l'algocarburant[4]. Les Outre-Mer ont vocation à être un véritable laboratoire pour les énergies renouvelables, et devraient être l'éden des start-up vertes.

4. Les Outre-Mer forment une dizaine d'aires urbaines moyennes, entre 100 000 et 300 000 habitants chacune : ces zones sont des métropoles en gestation dans des espaces fortement contraints ; un étalement urbain accéléré, caractérisé par une diffusion de la centralité sur des espaces non urbanisés : par exemple, les agglomérations de Fort-de-France et Pointe-à-Pitre concentrent aujourd'hui la moitié de la population et des activités de leur région. De même, les deux tiers des Réunionnais vivent dans les aires urbaines de Saint-Denis, Saint-Paul et Saint-Pierre. La Grande-Terre de Mayotte est déjà, à bien des égards, une île-ville, sous l'influence de l'aire urbaine de Mamoudzou (190 000 des 220 000 Mahorais y résident).

Au total, il est d'une nécessité impérieuse d'envoyer un signal fort aux Outre-Mer, en particulier aux DROM, de la volonté

---

1. Énergie issue des vagues.
2. Énergie créée par les courants marins.
3. Énergie créée par les marées.
4. Pétrole issu des algues.

de favoriser leur meilleure intégration et la reconnaissance de leur richesse dans et pour la République.

À partir de ce constat, les propositions de France 2022 pour une véritable politique de valorisation des Outre-Mer, richesse française que le monde nous envie, sont les suivantes.

PROPOSITIONS

AXE 1 : INTÉGRER LES OUTRE-MER DANS LA NATION

– **Supprimer le ministère des Outre-Mer et rattacher le traite-ment des affaires ultramarines aux services du Premier ministre,** dans le cadre d'une délégation interministérielle dédiée. Héritier du ministère des Colonies, le ministère de l'Outre-Mer, devenu ministère des Outre-Mer en 2012, a oscillé, durant les IVe et Ve Républiques, entre le statut de secrétariat d'État, de minis-tère délégué et de ministère de plein exercice. Il est par ailleurs le seul ministère du gouvernement à disposer d'une affectation géographique. Aujourd'hui, il est 18e de l'ordre protocolaire. Sur 18 ministres. Cela n'appelle pas d'autre commentaire...

– **Faire baisser les prix et lutter contre les situations de mono-pole et les abus de position dominante en Outre-Mer.**

– **Garantir par la loi et dans la pratique l'égalité des prix entre l'Hexagone et l'Outre-Mer sur les tarifs bancaires, opérateurs téléphoniques, taux d'assurances, et plafonner le prix des trans-ports aériens.** Par exemple, développer des accords de plafon-nement des prix pour les transports aériens inter-DOM et entre les DOM-ROM et l'Hexagone, notamment pendant la haute saison (fêtes de fin d'année, juillet/août). Étendre les disposi-tions d'aide à l'achat de billets d'avion aux classes moyennes.

– **Libéraliser l'approvisionnement et les prix du carburant dans les DROM.**

– Réviser la fiscalité des communes et des régions d'Outre-Mer : en supprimant le prélèvement de 2,5 % sur le produit fiscal de l'octroi de mer par les services des douanes et en affectant cette recette (10 millions d'euros par an à La Réunion) au soutien effectif à la production locale ; en anticipant la disparition à venir de l'octroi de mer (prolongé par l'Union européenne jusqu'en 2020) en augmentant les impôts locaux.

– **Indexer la prime de vie chère sur le coût réel de la vie en Outre-Mer et réviser le régime des congés bonifiés.** La surrémunération de 40 à 54 % pour les fonctionnaires des DROM déséquilibre l'économie locale et décourage l'initiative privée (coût global : 1 milliard d'euros pour les trois fonctions publiques, dont 250 millions pour l'État), alors qu'elle peut se révéler efficace dans les territoires les moins attractifs (Wallis et Futuna, Saint-Pierre-et-Miquelon, Polynésie française…). Elle ne se justifie pas : il est proposé d'abaisser ce taux de surrémunération à 25 % pour les nouvelles embauches de fonctionnaires dans les DROM. Les « congés bonifiés » concernent 32 000 fonctionnaires ultramarins, qui peuvent tous les trois ans rentrer dans leurs territoires avec leur famille, bénéficiant de primes diverses, de 30 jours de congés et de billets payés par l'État, pour un coût de 600 millions d'euros par an. Justifiée, elle est cependant excessive : il est proposé de supprimer les avantages financiers autres que le paiement des billets, remplacés par des chèques congés réservables à n'importe quel moment de l'année.

– **Augmenter la visibilité des Outre-Mer et des ultramarins dans l'espace national.**

– **Renforcer la place des sujets liés aux Outre-Mer dans les programmes scolaires de géographie, d'histoire, de sciences naturelles, de français, de littérature.**

– **Participer plus activement aux organisations et aux partenariats internationaux traitant des problématiques de développement durable des Outre-Mer.** La France doit se penser et s'affirmer comme une île à La Réunion, en Nouvelle-Calédonie, en Martinique ; comme un archipel en Guadeloupe, à Mayotte, en Polynésie ; comme un territoire continental équatorial en Guyane... À ces titres, la France doit investir, en son nom ou par l'adhésion directe des collectivités concernées, les organisations et les partenariats internationaux qui traitent des problématiques développementales spécifiques à ces typologies territoriales : l'Alliance des petits États insulaires (Aosis), le Partenariat insulaire mondial (Glispa) ou encore l'Organisation du traité de coopération amazonienne (OTCA).

– Substituer « Hexagone » à « France métropolitaine » et « France hexagonale » à « métropole ». Le terme de métropole ainsi employé fait écho à la période coloniale et ne correspond plus à la période actuelle. De même, le terme « région ultrapériphérique » – qui désigne les territoires européens situés en dehors du continent européen, régis pas l'article 349 du traité sur le fonctionnement de l'Union (Guadeloupe, Martinique, Saint-Martin, Guyane, La Réunion, Mayotte, Canaries, Madère, Açores) – gagnerait à évoluer en une formulation plus heureuse. On pourrait ainsi distinguer les « régions d'Outre-Mer » des « pays et territoires d'Outre-Mer ».

AXE 2 : ACCOMPAGNER SPÉCIFIQUEMENT
CHACUN DE CES TERRITOIRES

– Concevoir des régimes de prestations sociales sur mesure pour chaque DROM et encourager l'expérimentation dans ce domaine. Les dynamiques démographiques et les besoins sociaux n'étant pas les mêmes dans l'Hexagone et dans les Outre-Mer, les dispositifs de prestations légales ont été, dès leur création dans les DROM, différenciés. À titre indicatif, dans les DROM, la Caisse d'allocations familiales a historiquement occupé et continue d'occuper des fonctions particulières, comme le soutien à la restauration scolaire. La déconnexion des trajectoires démographiques plaide pour une différenciation des prestations légales selon les territoires.

– Affirmer deux priorités distinctes : les personnes âgées aux Antilles, la petite enfance partout ailleurs. Les équipements de la petite enfance doivent demeurer la priorité dans des sociétés ultramarines encore jeunes ; la ville de Saint-Laurent du Maroni doit faire face à une croissance démographique exponentielle – elle deviendra la commune la plus peuplée de Guyane, devant Cayenne, d'ici vingt ans – ; elle est contrainte de louer des bungalows pour ouvrir 12 classes supplémentaires à chaque rentrée scolaire. En Guadeloupe et en Martinique, au contraire, la thématique de l'autonomie et de la dépendance gagnera en importance avec le vieillissement annoncé des populations.

– Prendre en charge les problématiques spécifiques de santé publique outre-mer. Les ultramarins sont particulièrement exposés aux maladies de la sédentarité (hypertension artérielle, obésité, diabète) et aux arbovirus (dengue, chikungunya, zika…). Les efforts déployés pour répondre à ces maladies sont aujourd'hui sous-dimensionnés face aux besoins émergents.

– Favoriser l'apprentissage du français. Seuls 60 % des Mahorais parlent et comprennent le français. Les principales langues parlées dans l'archipel sont le shimaoré et le kibouchi. De même, Saint-Martin et la Guyane sont de fait aujourd'hui dans une situation de multilinguisme, l'anglais, le néerlandais et autres langues concurrençant fortement le français.

La reconnaissance officielle de ce multilinguisme, sans remettre en cause l'unicité du français comme langue nationale, à l'école ou dans l'espace public, pourrait constituer un levier efficace de lutte contre l'illettrisme, d'intégration des populations étrangères, de valorisation des langues régionales, voire d'excellence pour l'apprentissage des langues étrangères.

AXE 3 : AFFIRMER LES OUTRE-MER COMME DÉPOSITAIRES
DE RICHESSES COMMUNES DE LA NATION

– Renforcer la capacité de résistance écologique des territoires
ultramarins et adapter les enjeux socio-économiques et environnementaux d'un écosystème en mutation.
   • Investir massivement pour garantir l'autonomie énergétique en Outre-Mer à l'horizon 2040.
   • Viser la sécurité alimentaire en Outre-Mer à l'horizon 2030, qui passe notamment par le renforcement de la
production locale et par un objectif de 100 % de produits
locaux dans les cantines scolaires.
   • Renforcer le plan séisme Antilles, en intégrant l'amélioration de l'habitat individuel – grand absent aujourd'hui de
cette stratégie de sécurisation du bâti.
– Prendre des DROM comme des pionniers de la transition
écologique en France.
   • Expérimenter la stratégie nationale des énergies renouvelables depuis Saint-Denis de La Réunion et Mayotte. La
Réunion et Mayotte sont, après la Guyane qui profite de la
puissance hydraulique de ses barrages, les territoires français
qui utilisent le plus les énergies renouvelables pour produire
leur électricité (respectivement 36 % et 30 %). L'objectif de
100 % d'ENR dans le mix énergétique a été fixé pour 2030
pour ces deux territoires.
   • Piloter la politique nationale de la biodiversité depuis la
Guadeloupe. L'Outre-Mer abrite 80 % de la biodiversité de
la nation. Lors de l'examen de la loi-cadre sur la biodiversité,
des débats passionnés ont animé les DROM, notamment sur
les questions d'accès à la ressource et de partage des avantages et sur la préfiguration des délégations régionales de la
future « agence de la biodiversité ».
   • Piloter la politique maritime nationale depuis la Martinique. Grâce à ses Outre-Mer, la France contrôle la deuxième

plus grande zone économique exclusive du monde, avec un peu plus de 11 millions de kilomètres carrés, juste derrière les États-Unis et devant l'Australie. Elle constitue également le quatrième pays récifal du monde. En septembre 2015, elle a obtenu une extension de 580 000 km² (davantage que la superficie de l'Hexagone) de cette empreinte sous-marine. D'autres dossiers en cours d'instruction pourraient accroître encore significativement la ZEE française. Paradoxalement, les activités maritimes sont relativement limitées dans les Outre-Mer. Elles sont quasiment sinistrées aux Antilles du fait de la contamination massive et durable des eaux côtières par un pesticide, le chlordécone.

– **Installer l'Office national des forêts en Guyane.** Les Outre-Mer abritent 37 % de la forêt française. La Guyane à elle seule représente un tiers de la surface forestière du pays. Grâce à son Outre-Mer, la France est ainsi le premier pays forestier tropical d'Europe.

– **Délocaliser l'Institut de physique du globe à La Réunion.** Les trois seuls volcans actifs français se trouvent outre-mer (la Soufrière en Guadeloupe, la montagne Pelée en Martinique et le Piton de la Fournaise à La Réunion). Une station d'observation, dépendant de l'Institut de physique du globe de Paris, est implantée sur chaque site. Délocaliser cet institut serait du pur bon sens.

AXE 4 : PROMOUVOIR UNE NOUVELLE FAÇON
D'HABITER LE TERRITOIRE

– **Animer et protéger les espaces non urbanisés en Outre-Mer.**
  • **Reconquérir les centres-villes ultramarins.** Les centres-bourgs et les centres-villes ultramarins connaissent une désaffection marquée dans les Outre-Mer. À titre d'exemple, 300 hectares non urbanisés ont été recensés dans la trentaine de centres urbains historiques que compte la Guadeloupe.

• **Faciliter les levées d'indivision**, principale cause de l'inertie foncière en milieux urbain et rural, en recourant plus fréquemment à l'expropriation pour utilité publique.

• **Piétonniser, embellir et verdir les centres-bourgs.** Les centres historiques ne sont pas attractifs car plus adaptés aux modes de vie actuels, notamment à la desserte et au transit automobiles, et aux attentes qualitatives des résidents et des visiteurs.

— **Ouvrir davantage les espaces protégés au public.** La protection des espaces naturels remarquables se traduit souvent par une « mise sous cloche » de ces espaces. Une ouverture raisonnée des parcs naturels (régionaux et nationaux) au grand public favoriserait l'appropriation et la valorisation des espaces et des espèces.

— **Développer les transports publics.**

En Outre-Mer, on assiste, comme ailleurs, au règne excessif de la voiture individuelle. La Réunion a dépassé un million de voitures sur un territoire de 2 512 kilomètres carrés. La Martinique est sur le point d'inaugurer son transport collectif en site propre (TCSP), après plusieurs années de travaux, sur l'axe le Lamentin/Fort-de-France, le second de France après le périphérique parisien, en termes de trafic, et notoire pour ses bouchons quasi permanents. La Guadeloupe envisage, elle, d'installer un tramway en cœur d'agglomération. La Réunion a abandonné récemment, en 2010, un projet de tram-train.

Globalement, les Outre-Mer accusent un retard par rapport à l'Hexagone. La configuration spatiale tout autant que la densité humaine et automobile de ces territoires — Saint-Martin est le quinzième territoire du monde en matière de densité — plaident pour la mise en place de solutions de transport innovantes en Outre-Mer.

— **Impulser une véritable politique du paysage.** En France, le paysage est souvent l'oublié des projets d'aménagement et de construction publics et l'Outre-Mer n'échappe pas à cette règle. En Outre-Mer peut-être plus qu'ailleurs, il joue un rôle essentiel pour l'attractivité touristique, la qualité de vie et la préservation des équilibres spatiaux.

AXE 5 : FAIRE DES OUTRE-MER DES LIEUX D'INNOVATIONS INSTITUTIONNELLES

– Évaluer et pérenniser les habilitations législatives en Guadeloupe, en Martinique et en Guyane.
Depuis la loi constitutionnelle de 2003, les collectivités régies par l'article 73 de la Constitution (à l'exception de La Réunion) ont la possibilité de produire des normes locales, dans des domaines encadrés par le législateur et avec l'accord du gouvernement.

La région Guadeloupe s'est, la première, saisie de cette possibilité juridique et a exercé, de 2009 à 2011, une habilitation législative dans le domaine des énergies. Cette dévolution normative a débouché sur la création d'une réglementation thermique propre à la Guadeloupe, qui semble efficace, et qui a aujourd'hui vocation à s'exporter dans les États voisins de la Caraïbe.

L'un des enjeux de cette innovation institutionnelle est aujourd'hui d'aligner les habilitations sur la durée des mandats des collectivités qui en font la demande, de les mettre en application dans d'autres domaines de politiques publiques et de procéder à leur évaluation systématique.
– Favoriser la coopération entre départements et régions d'Outre-Mer.
Les dispositifs de coopération transfrontalière et transnationale en vigueur en Outre-Mer prévoient dans leurs critères d'éligibilité la participation au projet de partenaires « extra-communautaires ». Si la coopération inter-DROM est fortement autorisée dans ces projets avec des pays tiers, il n'existe

pas de mécanisme spécifique qui soutienne le renforcement des échanges entre, par exemple, la Guadeloupe et la Martinique, ou La Réunion et Mayotte.

Au contraire, on assiste au démantèlement des rares structures interrégionales existantes, telle la récente scission de l'Université des Antilles-Guyane (en l'Université des Antilles et l'Université de Guyane).

– Réorienter les fonds de coopération régionale (FCR) pour soutenir exclusivement les projets de coopération entre DROM.

Gérés par les préfectures des DROM, les fonds de coopération régionale apparaissent aujourd'hui comme la contribution de l'État au financement des projets de coopération transnationale et transfrontalière.

– Créer un réseau permanent des « RUP » (régions ultrapériphériques) françaises et renforcer leur représentation à Bruxelles.

En octobre 2014, les présidents des RUP françaises ont signé une déclaration commune pour la défense de l'octroi de mer. En janvier 2015, lors de la conférence des présidents des RUP, en Guadeloupe, a été créé un réseau emploi des RUP. Mais de manière générale, les RUP françaises, qui se sont tous dotées récemment de représentations permanentes à Bruxelles, mènent des stratégies différenciées, négligeant les économies d'échelle et les capacités démultipliées de lobbying qu'elles pourraient acquérir si seulement elles coopéraient.

23

Pour une nouvelle stratégie en matière d'infrastructures : modernisation, fluidité, connexion et respect de l'environnement

> « L'investissement public en infrastructures,
> l'une des composantes de la croissance. »
> Robert J. Barro, économiste
> de la croissance endogène, 1990

Rien n'est plus important que les infrastructures pour les futures générations. Rien n'est donc plus central dans la compétence d'un président de la République.

La France a constitué au cours de son histoire des réseaux d'infrastructures diversifiés et de grande qualité, qui constituent autant d'atouts pour notre pays.

Ces réseaux contribuent à renforcer la compétitivité et l'attractivité de notre territoire. Selon le dernier rapport annuel sur la compétitivité du World Economic Forum[1], la France est classée au huitième rang mondial au titre du pilier « infrastructures » : réseaux routier, ferroviaire, portuaire, aéroportuaire, d'énergie et de télécommunications sont considérés comme parmi les meilleurs du monde. Ces infrastructures continuent à progresser : l'investissement public annuel de l'ensemble des

---

1. The World Economic Forum (2012), *The Global Competitiveness Report 2015-2016.*

administrations publiques s'élève en France à près de 100 milliards d'euros (96 milliards en 2014).

La qualité des réseaux est un enjeu d'inclusion sociale et de qualité de vie : les réseaux permettent l'accès des citoyens aux lieux de travail, à l'information, aux biens et services essentiels ; l'inclusion sociale repose de moins en moins sur la propriété et de plus en plus sur l'accès.

Certaines infrastructures (routes, voies ferrées, réseaux d'eau) sont physiquement ou technologiquement vieillissantes : elles ont besoin d'investissements pour améliorer la qualité du service rendu, répondre aux besoins de mobilité dans les métropoles et renforcer leur sûreté. De plus, certains réseaux laissent circuler sans réelle sécurité des biens ou des énergies polluants.

Les priorités stratégiques doivent tenir compte de trois grandes mutations, chacune « gourmande » en infrastructures.

1. La population augmente et s'urbanise ; les métropoles nécessitent des réseaux d'infrastructures performants.

2. La mondialisation des échanges accroît la demande de ports, d'aéroports et de corridors logistiques.

3. La transition écologique requiert le développement de réseaux plus sobres en énergie, moins polluants et plus résistants au changement climatique.

Le contexte macroéconomique et financier actuel est particulièrement favorable aux investissements de long terme : les taux d'intérêt sont faibles ; l'appétence des investisseurs pour la classe d'actifs « infrastructures » est élevée.

Cependant, les projets d'infrastructures, souvent attendus et espérés, sont contestés, soit en raison des nuisances locales qu'ils peuvent provoquer (atteintes à l'environnement ou à la biodiversité, par exemple), soit pour des motifs plus idéologiques, dans la mesure où ils favorisent la mobilité.

De plus, le contexte budgétaire est beaucoup plus contraint et les collectivités publiques sont souvent méfiantes ou frileuses vis-à-vis du recours au financement par emprunt ou par concession.

Pour répondre à ces défis, l'enjeu des prochaines années n'est pas seulement de réaliser quelques grands projets spectaculaires, nécessaires mais de répondre à des besoins vitaux des générations futures.

Les propositions de France 2022 visent à définir la meilleure façon de choisir ces infrastructures nouvelles et à dégager des priorités.

PROPOSITIONS

AXE 1 : DÉFINIR DES PRINCIPES CLAIRS

– **Exiger de chaque gestionnaire d'équipements un rapport annuel sur l'état de ses réseaux,** analogue au rapport annuel sur les risques dans les sociétés anonymes. Ce rapport devrait expliciter, en particulier, les segments critiques en termes de disponibilité et de qualité de service, analyserait la résilience du patrimoine, notamment par rapport aux enjeux de sûreté et au risque climatique.
– **Moderniser les réseaux existants, notamment par le déploiement des nouvelles technologies de l'information et de la communication,** qui peuvent améliorer la performance des réseaux d'énergie (compteurs intelligents/*smart grids*) et de transports (optimisation du service rendu par la flotte d'Autolib ou de Vélib, gestion dynamique des congestions, possibilité d'introduire des péages urbains).
– **Ne réfléchir à de nouveaux projets que si des signes clairs de congestion apparaissent** (irrégularité, perte de confort, etc.) après cette modernisation.

AXE 2 : FAIRE ÉMERGER LES MEILLEURS PROJETS NOUVEAUX

– **Mettre en place un cadre financier de moyen terme** permettant d'identifier les enveloppes pluriannuelles mises à disposition par l'État et les collectivités territoriales pour le financement des infrastructures nouvelles.

– **Expliciter dans ce cadre de moyen terme les moyens budgétaires que l'État et les collectivités locales sont disposés à engager** pour mettre en œuvre cette stratégie, c'est-à-dire plus spécifiquement : d'une part, les projets que l'État ou les collectivités locales sont prêts à favoriser, au terme d'une concertation entre les différents niveaux de responsabilité publique ; d'autre part, la « boîte à outils » que les pouvoirs publics sont prêts à mobiliser de manière durable pour faciliter le financement des projets.

– Appliquer systématiquement **le principe « qui paie décide »**.

• **L'État doit clarifier les responsabilités de chaque niveau de collectivité territoriale.** Par exemple, les régions doivent pouvoir arbitrer entre les différents modes de transport (chemin de fer, autocar).

• **Clarifier les règles de financements publics**, en « décroissant » les flux financiers de l'État et des collectivités territoriales plutôt que de cofinancer des projets nationaux et locaux. Lorsque les infrastructures sont de dimension locale, les régions et métropoles doivent être pleinement responsables des projets et en assumer le financement. Lorsque les infrastructures sont d'importance nationale, l'État doit les financer sans cofinancements locaux.

– **Développer l'évaluation et la concertation.**

La pertinence des projets nouveaux s'évalue par une analyse de leurs coûts et bénéfices pour la collectivité, réalisée par le maître d'ouvrage. Ce n'est qu'en les mobilisant systématiquement au meilleur état de l'art que l'on peut garantir que la réalisation – ou non-réalisation – est socialement fondée.

Bien conçue et bien comprise, l'évaluation n'a pas pour rôle de contraindre les choix publics, mais au contraire de libérer le politique du poids des intérêts particuliers, en mettant en évidence les avantages et les coûts sociaux et environnementaux pour la collectivité dans son ensemble. Le choix de valeurs de référence « monétarisant » la valeur de la vie humaine, du temps ou du carbone doit aider à assurer une comparabilité des différents projets.

Les évaluations doivent nourrir les phases de débat public et de concertation, permettant d'évaluer l'intérêt de l'infrastructure, ses incidences nationales et son empreinte locale. Plutôt que de multiplier *ex ante* les normes, il convient de faire confiance à la concertation locale pour trouver des solutions qui permettent d'optimiser les gains attendus du projet et d'améliorer son insertion dans l'environnement.

La concertation doit s'inscrire dans une enveloppe financière prédéfinie et permettre de passer outre les oppositions s'exprimant par des formes non démocratiques.

AXE 3 : 4 PRIORITÉS ABSOLUES

Il découle de cette analyse quatre priorités.

– **Permettre aux ménages et aux entreprises d'avoir accès à une énergie non polluante.** Pour ce faire :
   • **Développer la production décentralisée d'énergies renouvelables**, notamment l'éolien offshore, vers les lieux de consommation.
   • **Mailler davantage et rendre plus intelligent (*smart grid*) le réseau** pour gérer l'intermittence inhérente aux énergies renouvelables.
   • **Permettre aux ménages de mieux maîtriser leur consommation d'énergie** (*via* notamment des compteurs intelligents).

– Améliorer la régularité et le confort des réseaux de transport des métropoles, notamment en Île-de-France.

• Faciliter les connexions rapides entre villes et aéroports (CDG Express est fondamental).

• Faciliter la fluidité du trafic routier (routes intelligentes) et autoroutier (péages sans barrière).

– Permettre aux entreprises de disposer de véritables corridors logistiques. Développer les ports, leurs hinterlands et leur connexion au réseau ferré et fluvial, en commençant par l'axe Le Havre-Paris.

– Faciliter l'accès des PME au numérique grâce à des infrastructures publiques et privées de *cloud computing*. La construction de grandes fermes de données permettant le stockage et la production centralisée d'information (sur un modèle analogue à la production d'énergie au XIXe siècle).

AXE 4 : RÉINVENTER LES MÉTHODES DE FINANCEMENT

– Favoriser l'émergence d'un grand fonds souverain français avec une exigence de rentabilité à cinquante ans, pour servir la société positive.

– Autoriser, sous strict contrôle de souveraineté, les fonds publics étrangers à investir dans les grandes infrastructures françaises.

– Faire de la Caisse des dépôts un grand acteur du financement à long terme des infrastructures rurbaines.

24

Le logement :
donner leur chance aux jeunes

« 70 % des jeunes identifient les garanties à apporter
au propriétaire comme principal obstacle à surmonter
pour trouver un logement. »
Étude de la Fondation Abbé Pierre
pour le logement des défavorisés,
septembre 2013

En matière de logement, certains, nés dans les années 1950, ont tout gagné : la forte inflation des prix, en particulier de l'immobilier, constituait un effet d'aubaine gigantesque, les taux d'intérêt réels devenant négatifs. Ainsi ils ont pu devenir propriétaires sans difficulté, dans des conditions qu'aucune autre génération ne pourra plus connaître. Et les prix des logements, fixés par ces propriétaires, sont, de fait, prohibitifs pour la majorité des jeunes.

Aujourd'hui, même un trentenaire surdiplômé et relativement bien payé peut difficilement louer dans Paris ou dans certaines grandes métropoles un appartement de plus de 30 mètres carrés, et le propriétaire sera quasi systématiquement amené à lui demander que ses parents se portent garants. Comment quelqu'un dans une situation professionnelle moins confortable pourrait-il se loger dans Paris intra-muros ? Les salaires des jeunes actifs sont donc de plus en plus ponctionnés par la rente immobilière. À Paris, la discrimination est d'autant plus spectaculaire que ce sont dans les arrondissements les plus populaires que les prix de vente des appartements ont le plus augmenté, allant jusqu'à tripler en dix ans. Les faibles taux d'intérêt actuels poussent vers le haut les prix à l'achat. L'exemple de la capitale britannique, où les prix de vente ont quadruplé en quinze ans, montre que la tendance haussière peut se poursuivre en France encore longtemps.

Les mesures d'encadrement des loyers, si elles donnent quelques résultats positifs, ne touchent pas au problème essentiel lié à la pénurie de logements, qu'elles peuvent aggraver.

Face à cela, la politique du logement en France est toujours exclusivement axée sur des mesures d'encouragement et de « solvabilisation » de la demande, et ne vise jamais le déblocage de l'offre. Par ailleurs, elle est paralysée par une complexification incessante des normes et des procédures, sans réflexion sur leur coût, que ce soit des normes en matière d'environnement, de place de parking, d'adaptation aux personnes handicapées ou d'affectation. Même si de telles normes sont essentielles, le mieux est l'ennemi du bien : par exemple, imposer à tous les logements d'être adaptés au handicap a pour conséquence le fait que ce genre de norme n'est jamais respecté ; imposer un quota raisonnable serait beaucoup plus efficace. Au total, la politique du logement en France ne fait que défendre le patrimoine des actuels propriétaires, accessoirement le loyer des locataires en place (des « insiders »), au détriment des intérêts des nouveaux entrants (les « outsiders »).

La politique du logement est donc essentiellement conduite par des mesures correctrices qui partagent les rentes de rareté plutôt qu'elles ne les font disparaître. Construire plus de logements sociaux (70 % d'éligibles, 15 % de bénéficiaires) organise une redistribution des contribuables vers certains bénéficiaires éligibles. Réglementer les loyers c'est redistribuer des propriétaires vers les locataires en place. Aider à l'accession à la propriété et à l'investissement locatif c'est redistribuer des contribuables vers des propriétaires. L'aide personnalisée au logement (APL), c'est redistribuer entre contribuables – effet désiré et assumé – au profit des propriétaires, qui intègrent automatiquement le montant de l'APL lorsqu'ils évaluent le loyer qu'ils souhaitent exiger.

Si rien n'est fait pour réduire la rareté, les tensions sur le marché immobilier ne sont pas près de s'atténuer : la population française croît de 300 000 personnes par an, alors que le pays ne produit, dans le même temps, que 300 000 logements. C'est insuffisant si on y ajoute les exigences de la décohabitation et de la rénovation.

Pour sortir de ce cercle vicieux, il faut construire bien plus en zone tendue. L'effet serait particulièrement vertueux : sur l'emploi, sur le pouvoir d'achat (libéré de la prépondérance de la part occupée par le poste « logement »), sur la mobilité, sur l'insertion des jeunes, et sur le coût de l'étalement urbain.

Pour y parvenir, il faut permettre la construction de logements de grande hauteur dans les zones les plus tendues. Pour l'Île-de-France, la création du Grand Paris peut fournir une occasion historique de développer de nouvelles ambitions urbanistiques et de moderniser l'image de la capitale française, en lien avec les nouvelles infrastructures qui seront déployées.

Même si, dans l'ensemble, la nation serait clairement gagnante d'une politique de construction en zone tendue (et donc, concrètement, d'une politique d'élévation verticale des logements), celle-ci s'opposerait aux intérêts des propriétaires en place : construire, cela fait du bruit, cela bouche la vue, fait venir de nouvelles populations et fait baisser la valeur des patrimoines… Et pourtant les propriétaires actuels n'y perdront rien puisque leur logement constitue d'abord une valeur d'échange ; par contre, les futurs propriétaires y gagneront.

Voici donc les propositions de France 2022.

PROPOSITIONS

AXE 1 : ÉLARGIR L'OFFRE

– Éloigner le centre de décision de l'urbanisme de ceux qui ont intérêt à bloquer les constructions.

Pour cela, transférer progressivement les décisions d'urbanisme (plan local d'urbanisme, PLU ; permis de construire) aux intercommunalités (Grand Paris, Grand Lyon, Aix-Marseille), au fur et à mesure de leur mise en place opérationnelle. Et, en attendant la gouvernance opérationnelle des intercommunalités, rendre la décision aux préfets en zone tendue, et pas seulement pour le logement social.

– Nommer dans les zones tendues des préfets à la construction.

– Moduler la dotation globale de fonctionnement (DGF) en fonction du nombre de mètres carrés de permis de construire attribués, pour favoriser les maires bâtisseurs.

– Simplifier et favoriser la transformation de bureaux en logements. Les communes pourraient être incitées à racheter des locaux de commerce pour les transformer en logement.

– Lutter contre les recours abusifs et permettre les annulations partielles, en matière d'urbanisme. Les contentieux sur les permis de construire devraient faire l'objet de procédures accélérées pour éviter les blocages.

– Changer la portée du plan local d'urbanisme (PLU) pour inciter à construire. Tout propriétaire dans une zone constructible doit avoir l'obligation de construire ou accepter d'être exproprié à la valeur *ex ante* (Pays-Bas, Suède) ; il doit payer les frais d'aménagement (Allemagne) et la taxe foncière réévaluée à la constructibilité maximale (Europe du Nord en général).

AXE 2 : FAIRE DÉCIDER DES GESTES URBAINS FORTS
EN ÎLE-DE-FRANCE

– Identifier les réserves foncières dans la région parisienne. Les espaces constructibles sous-utilisés dans la première couronne représentent la superficie de Paris. Ils doivent être prioritairement mis sur le marché.
– Autoriser la construction, par les plus grands architectes mondiaux, d'immeubles de 50 mètres de haut dans Paris intra-muros, sauf là où ils pourraient nuire à l'image du Paris historique. La loi ALUR[1] du 24 mars 2014 permet de passer outre l'opposition du dernier étage avec la majorité de la copropriété pour surélever les immeubles existants ; une étude de l'atelier international du Grand Paris sur douze rues a démontré un gain de 400 000 mètres carrés, soit 6 000 logements constructibles.

AXE 3 : REDONNER SON SENS AU LOGEMENT SOCIAL

Le principe du logement social repose actuellement sur la réforme de 1977 qui a remplacé l'aide à la pierre par l'aide à la personne (APL). Les crédits alloués aux constructeurs de logements sociaux étaient considérablement diminués. En échange, un loyer non symbolique était demandé aux locataires. Ce loyer était modulé en fonction des revenus pour permettre une redistribution sociale. Malheureusement, le système s'est grippé, sous l'effet de trois facteurs : la montée du chômage et de la proportion de ménages très pauvres ; la montée des ruptures familiales et du nombre de familles monoparentales ; le maintien dans les lieux.

---

1. Loi pour l'accès au logement et un urbanisme rénové.

– Donner la possibilité aux instances locales de fixer les niveaux de loyer et d'APL pour tenir compte des zones tendues.

– Fixer en temps réel les loyers pour tenir compte des accidents de la vie, de la progression des revenus et de la taille actuelle du ménage de manière à augmenter la mobilité.

– Créer une bourse d'échanges et remettre à plat les modes d'attribution (quotas des administrations et du 1 % patronal).

– Ne pas autoriser ceux dont les revenus sont supérieurs au niveau fixé par la loi à résider dans un logement social.

25

La fonction publique :
moderniser et ouvrir

« Tous les Citoyens (…) sont également admissibles
à toutes dignités, places et emplois publics,
selon leur capacité, et sans autre distinction
que celle de leurs vertus et de leurs talents. »
Déclaration des droits de l'homme
et du citoyen, Article 6

« La Société a le droit de demander compte
à tout Agent public de son administration. »
Déclaration des droits de l'homme
et du citoyen, Article 15

La France a été construite par et avec son État. Et son État, c'est d'abord sa fonction publique, plus que millénaire. Remarquable de compétence, de dévouement, de loyauté et d'honnêteté, elle n'est pourtant plus totalement en phase avec les besoins du XXIe siècle.

La France a su établir, avec les lois de 1946, les bases d'une fonction publique de statut et de carrière garantissant la neutralité, l'impartialité et l'indépendance des fonctionnaires à l'égard du pouvoir politique ; elle a accompagné la décentralisation avec les lois de 1983, 1984 et 1986 rénovant le statut. Depuis les années 2000, des proclamations, des rapports (rapport de

Jean-Ludovic Silicani de 2008, rapport de Bernard Pêcheur en 2013) ont souligné les besoins d'évolution du statut et surtout les besoins d'une nouvelle stratégie de gestion de la fonction publique.

Le constat est sans équivoque : une inexorable dérive budgétaire, des difficultés à surmonter les archaïsmes d'une gestion de masse des agents sous le contrôle des organisations syndicales, la perte de sens du service public et de ses valeurs, la fragilisation des services par des trains de réformes menées par à-coups et sans vision d'ensemble, la constitution d'une fonction publique à deux vitesses avec un volant d'emplois contractuels, souvent précaires, de plus en plus nombreux malgré les plans successifs de titularisation.

Le sort de la fonction publique semble clairement délaissé par les politiques. L'encadrement administratif des ressources humaines de l'État est indigent : la direction générale de l'administration et de la fonction publique, sorte de direction des ressources humaines d'un groupe de 5,7 millions de fonctionnaires, ne rassemble que 150 personnes. Enfin, la carence de coordination entre les trois fonctions publiques, celle de l'État, celle des collectivités territoriales et la fonction publique hospitalière, se fait cruellement sentir.

La responsabilité de cet immobilisme est partagée à droite comme à gauche. Avec la révision générale des politiques publiques (RGPP), le quinquennat 2007-2012 s'est focalisé sur la maîtrise de la dépense publique, en prônant une politique essentiellement fondée sur une règle arithmétique, à savoir le non-remplacement d'un départ à la retraite sur deux – règle arithmétique dont la simplicité de la formulation laisserait penser une application homothétique et symétrique dans tous les champs de service public de l'État, ce qui constitue un message assez désastreux. Les vraies avancées de ce mandat présidentiel ont porté sur le dialogue social, avec une réforme de la représentativité, sans aller au bout de leur logique (recours à la négociation collective dans la fonction publique, persistance d'un système de cogestion des carrières par les syndicats).

Le quinquennat actuel est, quant à lui, pris en étau entre la contrainte budgétaire et les engagements de sanctuarisation des effectifs de certains ministères (dont une promesse de 60 000 créations de poste chez les personnels enseignants et de 5 000 agents de justice et sécurité). Un frémissement de réformes en deuxième partie de quinquennat s'est fait sentir avec la négociation des « parcours professionnels, carrières et rémunération » : cette réforme est arrivée à point nommé car une refonte des grilles salariales était nécessaire pour donner de la respiration aux carrières (les grilles déploient les carrières sur vingt-cinq ans seulement !) et aux rémunérations (la grille des B et des C commence en dessous du SMIC ; avec le gel de la valeur du point depuis 2010, le salaire net moyen évolue moins rapidement que dans le privé et a baissé en 2013). C'est toutefois une bombe à retardement budgétaire pour le prochain quinquennat : la Cour des comptes estime que ce chantier pourrait coûter au budget de l'État jusqu'à 5 milliards d'euros par an jusqu'en 2020, s'il n'y a pas des engagements de maîtrise des effectifs en contrepartie.

Il y a donc eu des réformes, mais il manque toujours une vision stratégique partant d'une réflexion sur les missions de l'État, leur périmètre, et les conséquences à en tirer en termes de priorités des politiques publiques, d'effectifs, et d'évaluation des gisements de productivité. C'est ce qu'a voulu initier la commande d'un rapport à Jean-Ludovic Silicani en 2008, inappliqué, comme tant d'autres.

Réformer les fonctions publiques n'est pas chose politiquement facile : à plus de 5 millions, les fonctionnaires sont un réservoir électoral, à forte syndicalisation. L'État ne se perçoit pas comme un employeur ; les dirigeants publics n'ont pas des profils gestionnaires ; la compétence managériale n'est même pas vraiment pensée au moment de nominations de directeurs d'administration centrale.

La réforme de la fonction publique est un puissant levier de modernisation dont les bénéfices se feront sentir sur l'ensemble de la société et c'est même la condition nécessaire de toutes les autres réformes.

Tout d'abord, c'est un levier de maîtrise de la dépense publique : les dépenses de personnel représentent un quart de la dépense publique, soit 280 milliards d'euros de dépenses de personnel de l'État (dont 75 milliards d'euros de retraites). C'est 40 % du budget de l'État et 6 % du PIB.

Malgré les objectifs de maîtrise de la masse salariale suivis par les deux derniers présidents de la République, celle-ci n'a jamais cessé de croître dans les trois versants de la fonction publique : 700 millions d'euros par an depuis 2013 alors que le budget triennal 2015-2017 retient une progression de 250 millions d'euros par an.

La fonction publique, c'est aussi 20 % de l'emploi salarié total du pays et l'exemplarité de l'État employeur est un élément clé s'agissant des conditions de travail en France. Or il est clair que l'État n'est plus précurseur : rigidités du statut, de plus en plus débordé par l'emploi contractuel ; paupérisation d'une partie de la fonction publique (un agent de catégorie A – c'est-à-dire la plus haute catégorie ! – commence aujourd'hui à un niveau proche du SMIC) ; rigidité des parcours professionnels ; difficultés d'organiser les mobilités dans les fonctions publiques pour les besoins de service ; fermeture de la fonction publique sur elle-même, en particulier de la haute fonction publique, avec le risque de voir son attractivité questionnée. Ne plus attirer les meilleurs profils dans la haute fonction publique, pour pourvoir des postes de décideurs, qui ont vocation à concourir à la conception des politiques publiques et à la décision administrative, serait un drame pour l'État tout entier.

Un troisième enjeu est celui du maintien de la qualité des services publics avec des problématiques de césures territoriales grandissantes entre la France des métropoles et des grands bassins économiques et les « France périphériques » en voie de marginalisation.

Certaines composantes de la fonction publique de l'État fonctionnent au minimum, après les politiques de rabot sur les effectifs, ce qui conduit à des burn-out massifs dans certains types de métiers, et non les moindres, tels que ceux liés à la sécurité publique. Être fonctionnaire, c'est avant tout une vocation, adhérer à des valeurs, se soumettre à des obligations, vouloir servir. Or les fonctionnaires se sentent assaillis. Bousculés et non défendus. Une grande lassitude vis-à-vis des trains de réformes successifs se propage ; les réformes sans vision stratégique font perdre du sens à la notion d'intérêt général qui a poussé ces individus à choisir leur voie. La diminution drastique des marges de manœuvre de l'encadrement supérieur et dirigeant donne une impression d'impuissance à agir. Le dialogue social est en panne. Cette crise est d'ampleur : elle affecte le cinquième des salariés en France.

Réformer la fonction publique, c'est enfin « réformer l'outil de la réforme du pays » : une fonction publique plus agile, plus réactive et adaptable est un élément de qualité du service public mais aussi d'efficacité de la courroie de transmission entre le pouvoir politique et l'appareil administratif.

Tous ces constats conduisent à faire du chantier de réforme de la fonction publique un chantier prioritaire pour le prochain quinquennat.

Nombreux sont les pays qui l'ont fait avant nous, avec des résultats positifs : le Canada, l'Italie, et les pays du nord de l'Europe.

La réforme doit s'articuler autour de trois axes : assurer la maîtrise effective de la masse salariale dans les trois versants de la fonction publique ; conduire sur la durée du quinquennat le chantier de modernisation statutaire ; ouvrir et moderniser la haute fonction publique et la mettre au service de la réforme.

Les politiques salariales ont été conduites depuis une dizaine d'années sans perspective d'ensemble, privilégiant les revalorisations catégorielles, comme le recours aux leviers indemnitaires, par la voie des primes. Par ailleurs, les contraintes budgétaires ont conduit à une progressive érosion de la grille des rémunérations : les carrières se tassent, les écarts hiérarchiques se resserrent, la part des primes dans la rémunération totale est croissante, et il existe de fortes inégalités entre corps et plus encore entre ministères. Enfin, les contraintes budgétaires induites par les nouveaux schémas d'emploi, qui sont venus s'ajouter aux outils classiques de pilotage, ont réduit l'horizon et les marges de manœuvre des gestionnaires. L'entropie du système de gestion est de plus en plus forte. La masse salariale continue donc de croître de 2,4 % par an malgré des mesures d'ajustement : c'est ce qui s'appelle l'« effet GVT » (glissement-vieillissement-technicité) – c'est-à-dire que, même si le nombre de fonctionnaires stagne et que les rémunérations sont gelées, la masse salariale augmente mécaniquement, du seul fait qu'au fur et à mesure des années, les fonctionnaires en poste gagnent en ancienneté et occupent des emplois plus qualifiés qu'avant. Le poids de la masse salariale de la fonction publique est en France le plus important de tous les pays de l'OCDE, hors pays scandinaves. La masse salariale de la fonction publique de l'État est, elle, presque stabilisée[1]. Les dérapages de masse salariale viennent de la fonction publique hospitalière et surtout de la fonction publique territoriale.

En matière de masse salariale, la maîtrise des effectifs est clé. Or la baisse des effectifs de l'État est plus que compensée par la hausse des effectifs de la fonction publique territoriale et des opérateurs publics. Maîtriser les effectifs est pourtant le seul levier permettant des économies pérennes et reconduc-

---

1. Cette dynamique de fond ne prend pas en compte les mesures de dégel des recrutements sur les fonctions de maintien de l'ordre consécutives aux attentats du 13 novembre 2015.

tibles. D'ailleurs, la règle du non-renouvellement d'un départ à la retraite sur deux au sein de la fonction publique de l'État a tout de même montré des résultats appréciables : elle a permis de réduire de 6 % les effectifs de l'État, soit 840 millions d'économies par an, et ce de manière pérenne, donc 4,2 milliards d'euros sur la durée d'un quinquennat. Une norme de « zéro progression » de la masse salariale uniforme à toutes les administrations sur la durée du prochain quinquennat semble difficilement envisageable : certains services centraux de l'État ou fonctions régaliennes – police, justice – ont atteint la limite des efforts. Il faut donc privilégier une politique de maîtrise de la masse salariale différenciée suivant les fonctions publiques et les administrations, qui anticipe la croissance liée à la mise en œuvre du chantier sur les parcours professionnels, les carrières et les rémunérations.

Le deuxième champ de réforme à actionner est le chantier statutaire. Il faut faire adhérer les fonctionnaires et les organisations syndicales à un programme de réforme, en démontrant les bénéfices qu'ils peuvent en tirer en termes de qualité du service public, de qualité des parcours professionnels et de conditions de travail. Cet objectif commande des réformes de substance, *via* une rénovation du statut mais également – et même surtout, vu le chemin à parcourir ! – une modernisation des pratiques managériales.

Le statut général des fonctionnaires n'est pas en soi un obstacle à la modernisation de la gestion publique et à des gains d'efficience. Les fonctionnaires n'ont en effet absolument aucune marge de négociation de leurs conditions de travail et rémunération. Pour les contractuels, le contrat de droit public est régi par des règles plus rudimentaires que le Code du travail, et inverse la logique du droit du travail suivant lequel le CDI est la règle et le CDD l'exception. Par ailleurs, être fonctionnaire signifie aussi des obligations (devoir de réserve, parfois interdiction du droit de grève et du droit syndical, restrictions aux cumuls d'emplois ou d'activité), avec de réelles sujétions, notamment les sujétions dans l'intérêt du service.

Enfin, le troisième chantier auquel le prochain quinquennat devra irrémédiablement s'atteler est celui de la haute fonction publique : il existe environ 5 000 hauts fonctionnaires, dont 2 500 recrutés par la voie de l'ENA, de l'X et des grandes écoles de service public. Ils ont des devoirs particuliers et une responsabilité éminente. Ils doivent être capables d'initiative, d'audace, de créativité. Et, en général, ils le sont.

La haute fonction publique actuelle souffre cependant de son endogamie et de son conformisme. L'ENA et les autres grandes écoles dont sont issus les grands corps de l'État ne sont pas le seul problème : Sciences Po fournit plus de 90 % des recrues à l'ENA. Le système français met aussi l'accent sur la sélectivité des recrutements à l'entrée et oublie le développement des compétences en cours de carrière. Ce système nourrit le corporatisme, l'individualisme et l'ambition cynique. Il est très peu propice à la responsabilisation, à la prise de risque et à l'accompagnement des réformes. Dans le même temps, la haute fonction publique est de moins en moins attractive : si le nombre des inscriptions au concours de l'ENA a augmenté depuis la crise de 2008, la tendance de fond demeure une baisse d'attractivité du fait de la différence des rémunérations avec le privé et de la réduction du nombre de postes intéressants.

La haute fonction publique a donc besoin de s'ouvrir, de s'approprier la culture du changement et de devenir une courroie de transmission plus directe des décisions politiques.

Le prochain président devra résoudre des questions difficiles : introduire dans le droit de la fonction publique l'équivalent du « licenciement économique » ; questionner la pertinence du concours en cours de carrière comme instrument de recrutement ; réformer le dialogue social.

Le prochain président devra pour cela doter son gouvernement de l'organisation et des outils nécessaires pour piloter la réforme, et susciter un minimum d'adhésion de la part des fonctionnaires et des organisations syndicales.

Pour être efficace, toute action devra reposer sur deux préalables.

Premier préalable : un « pacte de rénovation et de confiance » associant fonctionnaires et syndicats sur la durée du quinquennat. Les agents publics et les organisations syndicales se sentent laissés pour compte et souffrent des à-coups politiques. Des mesures difficiles supposent de tracer des perspectives sur la durée du quinquennat, avec les étapes du chantier de rénovation. Un « pacte 2022 » annoncé dès l'été 2017 mettra en avant les deux piliers : le chantier de modération salariale mais dans le même temps le programme de rénovation statutaire qui comportera des éléments favorables pour les carrières, les rémunérations, les parcours professionnels.

Second préalable : placer le ministre en charge de la Fonction publique sous l'autorité directe du Premier ministre, lui confier la réforme de l'État, lui adjoindre un secrétariat général à la Réforme de la fonction publique et à la gestion de l'encadrement dirigeant.

PROPOSITIONS

AXE 1 : UNE MAÎTRISE EFFECTIVE DE LA MASSE SALARIALE DANS LA FONCTION PUBLIQUE

– Revoir l'organisation du travail pour alléger les charges.
– Exploiter tout le gisement d'économie des mesures statutaires et salariales.
  • Désindexation et rationalisation des primes.
  • Mieux différencier les salaires et les promotions.
  • Alignement de la durée effective du service sur la durée légale.

• Limiter le recours aux heures supplémentaires (plus de 1 milliard d'heures supplémentaires ont été effectuées sur la seule année 2012 !).

– Conduire une révision des missions de l'État dans le champ des trois fonctions publiques.

• Renforcer, dans les **études d'impact** accompagnant les projets de lois, l'analyse des conséquences du texte en termes d'emploi public.

• Stabiliser les **périmètres ministériels** ; constituer les secrétariats généraux et les grandes administrations opérationnelles de l'État en centres de responsabilité et de gestion.

– Décliner ces objectifs dans chacune des trois fonctions publiques.

• Pour la fonction publique de l'État : non-remplacement d'un départ à la retraite sur deux.

• Pour la fonction publique hospitalière : stabiliser les effectifs sur le quinquennat.

• Pour la fonction publique territoriale : imposer une norme de croissance de la dépense publique locale (en réformant le principe de libre administration des collectivités locales garanti par la Constitution [art. 72-2]).

AXE 2 : CONDUIRE SUR LA DURÉE DU QUINQUENNAT
LE CHANTIER DE MODERNISATION STATUTAIRE

– **Faire de la reconnaissance du mérite des agents un droit essentiel des fonctionnaires** : mieux lier l'avancement à la reconnaissance du mérite ; désindexer les régimes indemnitaires et les articuler à la performance individuelle et collective.

– **Rendre effectif le droit à la mobilité des agents et faciliter les mobilités organisées à l'initiative de l'administration** : décloisonner les trois fonctions publiques en élargissant les espaces statutaires, mieux articulés sur les grands métiers de l'administration ; mettre en œuvre les cadres d'emplois déjà préconisés par le rapport Silicani de 2008, ou bien les cadres professionnels interministériels préconisés par le rapport Pêcheur de 2013.

– Mieux reconnaître l'expérience professionnelle et ne pas faire du niveau de diplôme le critère exclusif de cotation des corps.

– Assouplir les passages du statut au contrat dans un objectif d'équité entre les agents publics, de mobilité sociale et d'ouverture de la fonction publique à la société : le statut doit être maintenu comme une protection et remis en cause en tant qu'instrument de cloisonnement et de corporatisme.

– Créer auprès du Premier ministre une « agence pour le recrutement et la mobilité pour la fonction publique », avec pour objectif la professionnalisation des recrutements par concours et hors concours en début et en cours de carrière (développement des techniques d'embauche *via* panels, assessments, etc., telles que pratiquées dans le privé), ainsi que l'animation d'une bourse de l'emploi interministérielle et inter-fonction publique.

– Faciliter les « sorties » voulues ou à l'initiative de l'administration : plans de départs anticipés, création d'un analogon du « licenciement économique » en cas de restructuration de services, qui serait entouré de solides garanties pour les agents (obligations de reclassement, contrôle du juge).

AXE 3 : OUVRIR LA HAUTE FONCTION PUBLIQUE
ET LA METTRE AU SERVICE DE LA RÉFORME

– Faire évoluer très substantiellement le système de préparation aux concours des grandes écoles de la fonction publique, afin d'ouvrir le vivier de candidats et sortir de l'endogamie.

– Faciliter les recrutements en cours de carrière, sans concours et tenant compte de l'expérience professionnelle.

– Renforcer la formation continue des hauts fonctionnaires, notamment aux compétences managériales.

– Assouplir les conditions de rémunération, comme élément de reconnaissance de la performance et d'attractivité par rapport au privé.

– Élargir l'obligation de mobilité : subordonner l'accès aux fonctions de direction à l'accomplissement d'une mobilité dans une autre fonction publique, dans la fonction publique internationale ou européenne, ou dans le secteur privé.

– Faciliter les mobilités croisées public-privé en permettant dans certaines limites une conservation de la rémunération et en prévoyant une reconstitution de carrière pour des fonctionnaires en disponibilité qui retournent dans le public.

– « Remettre de la politique dans la politique » en dé-technocratisant les cabinets et en réinstaurant un dialogue direct entre le ministre et son administration : limiter drastiquement les effectifs des cabinets ministériels : 10 collaborateurs pour les ministres. Sans autoriser aucun « officieux ».

Un programme, et après ?

Un programme, même aussi ambitieux que celui-ci, ne suffira pas. C'est une condition nécessaire mais non suffisante du redressement de la France.

Ce programme ne sera, de notre point de vue, efficace, que s'il obtient un soutien large des Français, tout au long de ce quinquennat. Et s'il est appliqué globalement, dans sa cohérence.

D'abord, l'essentiel de ces réformes devront être lancées immédiatement ; dès la mise en place du gouvernement qui suivra les élections législatives de juin 2017. En espérant que celles-ci donnent au président les moyens d'agir.

À partir de son élection, le président devra alors devenir un capitaine d'équipe et considérer qu'il n'est plus au service de ses électeurs, mais de l'ensemble des Français, et de la France, dans son essence. N'ayant plus à improviser un programme, comme ont eu à le faire ses trois prédécesseurs, il pourra se concentrer sur sa mise en œuvre et sur la gestion des crises de toutes natures qui ne manqueront pas de se produire. Il devra sans cesse expliquer au pays ce qu'il en est du monde, et inscrire son action dans un récit donnant du sens au présent et à l'avenir, et permettant à la France de ressembler enfin à l'image qu'elle a d'elle-même. Les nouveaux médias lui permettront d'utiliser de nouveaux moyens d'expression. Il devra sans cesse garder présent à l'esprit son rôle de garant de l'intégrité de la nation, de son passé et de son avenir, de son histoire, de son identité, et de leurs futurs. Il ne devra pas déléguer la gestion de l'intérêt général à qui que ce soit d'autre que le Parlement, qui représente le peuple ; en particulier, pas aux partenaires sociaux, avec lesquels les négociations sont fondamentales pour gérer les intérêts de l'entreprise et des salariés, mais qui ne peuvent prétendre se substituer à l'expression de l'intérêt général du pays.

Il devra d'abord faire approuver l'essentiel de ces réformes, considérables, par le Parlement dans les cent jours qui suivront son élection. Afin d'accélérer les procédures et de contourner les oppositions de groupes d'intérêt, il devra utiliser tous les moyens que lui donne la Constitution, en particulier dans les cent jours les ordonnances et un peu plus tard les référendums.

Au-delà du vote des textes, il devra en assurer la mise en œuvre, en surveillant la rédaction rapide des textes d'application et en expliquant sans cesse au pays en quoi chaque réforme sert les objectifs affirmés plus haut et comment protéger ceux qui, provisoirement, peuvent y perdre. Il devra pour cela s'appuyer sur l'administration et savoir la mettre en valeur pour la mobiliser.

Ce qui ne sera pas lancé dans les cent premiers jours ne sera jamais. Mille voix se lèveront pour dire que tout cela est trop précipité. Il ne faudra pas les écouter : si les réformes ont été clairement débattues depuis le printemps 2016, le candidat, devenu président, aura eu tout le temps d'affiner son programme et de faire préparer, pendant la campagne, les textes nécessaires.

Voilà donc nos propositions. À chaque Français désormais de s'en saisir, d'en débattre, de se les approprier, pour faire vivre ce pacte national de confiance.

ANNEXES

ANNEXE 1

France – classements internationaux

Les classements qui suivent sont arbitraires et ne sont donnés qu'à titre indicatif. Ils ont le mérite de permettre de comparer la France à d'autres pays.

La France demeure l'une des plus grandes puissances militaires et diplomatiques. Elle rayonne aussi en termes de santé, d'innovation, d'infrastructures et d'environnement. Ses résultats sont toutefois décevants en matière d'économie, et notamment de compétitivité, malgré des atouts certains. Le système éducatif paraît être aussi relativement à la traîne. L'efficacité du secteur public est en général mal notée, et les indicateurs de société sont à peine corrects.

1. Institutions et infrastructures

Les institutions françaises obtiennent toutefois des résultats en demi-teinte :
— La performance du secteur public est mal notée.
— Le système de justice est considéré comme efficient.
— Les indices de liberté de la presse, de corruption, de sécurité sont à peine corrects.

Les infrastructures françaises sont en général bien notées :
— La France est classée dans les pays de tête en termes d'in-frastructures de transport (notamment routières, ferroviaires et aériennes).
— L'offre d'électricité est parmi les plus compétitives du monde, tant en termes de coût que de qualité.
— Le prix du gaz est peu compétitif.
— L'offre Internet est de très bonne qualité mais n'est pas assez développée sur le territoire national.

2. Défense et diplomatie

La France est systématiquement dans le top 5 (à part pour le budget de la défense, 6e), en termes :
    — du nombre d'ambassades ;
    — d'aide au développement ;
    — de droit de vote dans les institutions internationales et du nombre de résolutions proposées à l'ONU ;
    — de bases militaires permanentes à l'étranger ;
    — d'exportation d'armes ;
    — du nombre d'ogives nucléaires.

3. Économie

La France est régulièrement déclassée en termes de PIB, notamment du fait de l'émergence des BRICS et par la récente expansion de l'économie britannique. Toutefois, en PIB/habitants, la France occupe un rang stable.

– Le marché du travail est particulièrement mal classé.
– De même, la gestion des finances publiques, leur poids dans le PIB, et leur soutenabilité sont aussi décriés. Le système fiscal est globalement mal noté.
– De manière générale, la France obtient des scores médiocres en termes de liberté des échanges et d'investissement.
– La main-d'œuvre y est parmi les plus productives du monde et les salaires hors charges sociales sont compétitifs.
– La France est attractive et est souvent sur le podium en termes d'IDE (investissements directs à l'étranger) productifs.
– Le pays demeure une grande puissance commerciale.
– Les créations d'entreprises, notamment innovantes, sont bien notées.
– Les marchés financiers et leur dérégulation sont généralement bien classés, tout comme la puissance financière des grands groupes français.
– La France est la première destination mondiale de touristes étrangers.

NOTE : RELATIVITÉ DES CLASSEMENTS ÉCONOMIQUES

Il convient de noter que les faiblesses réelles de la France sont parfois amplifiées par la nature de certains classements.

– Les classements portant sur le marché du travail ne prennent pas en compte la précarité de l'emploi et les temps partiels. Si l'on prend en compte les temps partiels, les Français (35,7 heures par semaine) travaillent plus que les Allemands (35,3 heures) ou que les Britanniques (31,6 heures) et les Néerlandais (31,6 heures).

– Les dépenses de l'État sont avant tout considérées, dans ce classement, comme un coût, et leurs bénéfices (consommation, niveau de vie…) ne sont pas quantifiés. La structure des dépenses publiques n'est pas précisée : il s'agit en France majoritairement de transferts, qui ont une incidence économique positive certaine qui n'est là pas prise en compte. Le train de vie de l'État, constamment critiqué par les classements (poids des services d'administration dans le PIB), est inférieur de 1 % du PIB à la moyenne des pays de la zone euro.

4. Innovation, technologie et recherche

La France obtient globalement de bons résultats en termes d'innovation :

– Elle est bien classée en termes de dépôts de brevets, de soutien à la R&D (1re), de publication de revues scientifiques, d'écosystème de start-up, de la qualité de l'Internet haut débit, de capital humain, et de disponibilité des nouvelles technologies.

– Elle est correctement classée en termes de pénétration d'Internet, de transferts de technologies et d'absorption des nouvelles technologies par les entreprises.

5. Santé et éducation

Le système de santé français est très bien classé :

– La France arrive systématiquement dans le peloton de tête en termes d'efficacité de son système de santé, et de qualité des soins. Elle obtient de bons résultats en ce qui concerne l'espérance de vie et la mortalité infantile.

– Point d'ombre, cependant : le pays obtient de mauvais scores au sujet de la prévalence du VIH.

La France est moins bien classée sur ce qui a trait à l'éducation :
– Ses universités sont très peu représentées dans les classements internationaux (mis à part ses écoles de commerce, classées parmi les premières).
– Les classements de compétences en mathématiques, sciences et lecture sont décevants.
– La qualité de l'éducation primaire est mal notée.
– L'accès à Internet à l'école est très faible.
– L'enrôlement dans l'éducation supérieure est insuffisant.

6. Environnement

La France est de manière générale très bien classée, notamment grâce au nucléaire.

1. Institutions et infrastructures

a. Global Competitiveness Index 2016, World Economic Forum – 140 pays classés

Institutions	29
Institutions publiques	31
• Droits de propriété	19
• Éthique et corruption	31
• Influence indue	26
• Performance du secteur public	49
• Sécurité	63
Institutions privées	25
• Éthique d'entreprise	26
• Responsabilité	25

Infrastructures	8
Transport	7
• Routier	2
• Ferroviaire	4
• Portuaire	25
• Aérien	10
Électricité et télécommunications	15
• Qualité de l'offre d'électricité	10
• Souscriptions téléphones mobiles	96

b. Banque mondiale, OMS, Nations unies, 2012 –
   193 pays classés

Meurtres (pour 100 000 hab)	31

c. Institute for Economics and Peace, 2015
   – 162 pays classés

Global peace index	45

d. Reporters sans frontières, 2015 – 180 pays classés

Liberté de la presse	38

e. Transparency International 2015 – 167 pays classés

Corruption Perception Index	23

f. PNUD, 2015 – 188 pays classés

Indice de développement humain (IDH)	22

g. World Justice Project, 2015 – 102 pays classés

Rule of Law	18

2. Défense et diplomatie

a. SIPRI/Banque mondiale 2014 – 70 pays classés

Exportations d'armes (USD ajustés sur l'inflation)	3

b. United States Control and Disarmament
   Agency/SIPRI 2014 – 176 pays classés

Dépenses militaires (USD courants)	6

c. Nombre d'ogives nucléaires,
   Source Natural Resources Defense Council,
   Archives of Nuclear Data 2014 – 10 pays classés

Nombre d'ogives nucléaires	3

d. OCDE 2014 – 34 pays classés

Aide au développement	4

e. FMI – 193 pays classés

Droits de vote institutions internationales	4

f. Ministère des Affaires étrangères – 193 pays classés

Nombre d'ambassades	3

3. Économie

a. Banque mondiale (2014) – 193 pays classés

PIB (USD courants)	6
PIB/hab	22

b. FMI (2016) – 193 pays classés

PIB (USD courants)	6
PIB/hab	21

c. OCDE (2015) – 34 pays classés

PIB/hab (pays de l'OCDE)	17

d. OMC (2014) – 193 pays classés

Parts de marché	6

e. Global Competitiveness Index 2016, World Economic Forum – 140 pays classés

Environnement macroéconomique	77
• Équilibre budgétaire	95
• Épargne	66
• Inflation	1
• Dette	125

Efficience globale du marché	35
• Marché intérieur	47
• Marché international	40

Efficience du marché du travail	51
• Flexibilité	96
• Bon usage des talents	29

Développement des marchés financiers	29
• Efficacité	23
• Confiance	44

Taille du marché	8
• Marché domestique	9
• Marchés extérieurs	12

f. Doing Business 2015 – 189 pays classés

Création d'entreprise	27
Octroi de permis de construire	39
Raccordement à l'électricité	22
Transfert de propriété	82
Obtention de prêts	71
Protection des investisseurs minoritaires	27
Paiement des taxes et impôts	105
Commerce transfrontalier	1
Exécution des contrats	12
Règlement de l'insolvabilité	22

g. Indice de liberté économique (WS Journal, Fondation Heritage, 2015) – 178 pays classés

Liberté des échanges	56
Liberté d'entreprise	32
Protection de la propriété privée	20
Stabilité monétaire	81
Lutte contre la corruption	22
Dérégulation financière	19
Liberté d'investissement	47
Poids des taxes et impôts	176
Libéralisation du travail	157
Dépenses du gouvernement	174

h. Choix concurrentiels, KPMG 2014 – 10 pays classés

ÉLÉMENTS DE COÛT	FRANCE
Coût du travail	6
Salaires	2
Charges sociales	10
Avantages sociaux	5
Coût du transport	4
Coûts de location — Services (banlieue)	10
Coûts de location — Services (ville)	8
Coûts de location — Industrie (banlieue)	7
Taux d'imposition effectif — Services numériques	3
Taux d'imposition effectif — R & D	1
Taux d'imposition effectif — Services aux entreprises	6
Taux d'imposition effectif — Fabrication	4
Coût électricité	4
Coût gaz naturel	8
Taxe foncière — Services	10
Taxe foncière — Industrie	5

i. Baromètre de l'attractivité EY 2015 Europe – 25 pays classés

IDE en nombre d'emplois créés	4
IDE en nombre de projets	3

j. Paris Global Cities Investment Monitor 2015, KPMG – 25 métropoles classées

Nombre d'investissements internationaux Greenfield	3
Classement des métropoles stratégiques	3

k. AT Kearney 2015 – 25 pays classés

Indice de confiance des IDE	8

l. PwC « Global Top 100 Companies by market capitalisation », 2015 – 23 pays classés

Top 200 entreprises les mieux valorisées monde	6

4. Innovation, technologie et recherche

a. Global Competitiveness Index 2016, World Economic Forum – 140 pays classés

Technologie	16
• Disponibilité des nouvelles technologies	18
• Absorption des nouvelles technologies par les entreprises	32
• IDE et transferts de technologies	73

b. OCDE 2015 – 34 pays classés

Dépenses R&D	3

c. OMPI, Cornell, Insead : l'indice mondial de l'innovation 2015 – 141 pays classés

Global Innovation Index (sur 141)	21
• Institutions	21
• Capital humain et recherche	12
• Infrastructure	12
• Perfectionnement du marché	25
• Perfectionnement des entreprises	19
• Résultats liés au savoir et à la technologie	23
• Créativité	19

d. OMPI, 2014 – 193 pays classés

Dépôts de brevets	6

e. Prix Nobel – 193 pays classés

Total Nobel (+ médaille Fields)	4
• Mathématiques	2
• Physique	3
• Chimie	4

• Médecine	4
• Littérature	1

f. KPMG, Choix concurrentiels, 2012 – 47 pays classés

Soutien à la R&D (Europe)	1

5. Santé et éducation

a. OMS 2014 – 193 pays classés

Espérance de vie à la naissance	14
Consommation d'alcool (hab/an)	16

b. Euro Health Consumer Index (EHCI) 2014 – 35 pays classés

Qualité des systèmes de soins	9

c. Classement annuel Bloomberg Most Efficient Health Care 2014 – 51 pays classés

Efficience système de santé	8

d. Global Competitiveness Index 2016, World Economic Forum – 140 pays classés

Santé et éducation primaire	16
Santé	13
• Prévalence VIH	78
• Mortalité infantile	18
• Espérance de vie	12
Éducation primaire	20
• Qualité de l'éducation primaire	35
• Enrôlement éducation primaire	29

Éducation supérieure et formation	25
Quantité de l'éducation	44
• Enrôlement éducation secondaire	13
• Enrôlement éducation supérieure	43

Qualité de l'éducation	22
• Système éducatif	30
• Sciences et mathématiques	15
• Écoles de management	5
• Accès Internet à l'école	64
Formation continue	23

e. Classement des universités de Shanghai, 2015 – 35 pays classés

Top 200 universités monde	5 (8 Universités)

f. Classement Business School FT 2015 – 15 pays classés

Top 80 Business School monde	21 écoles

g. Classement PISA 2012, élèves de 15 ans – 65 pays classés

Mathématiques	25
Sciences	26
Lecture	21

6. Environnement

a. Yale, Columbia, 2016 – 180 pays classés

Indice de performance environnementale	10

b. OCDE, Better Life Index, 2015 – 34 pays classés

Environnement	13

ANNEXE 2

Le financement du programme

Le prochain président de la République héritera d'un pays dont la dette est déjà supérieure à la valeur ajoutée produite chaque année par tous les Français. Avec les hypothèses de croissance affichées par la France dans son programme de stabilité[1] (1,5 % dès 2016) et les prévisions de déficit public pour la France de l'Union européenne (3,4 % en 2016 ; 3,2 % en 2017), la dette publique atteindra 101 % du PIB fin 2017.

Il convient de stabiliser ce niveau d'endettement public et donc de **réduire rapidement le déficit à un niveau inférieur à celui de la croissance du PIB**.

De plus, en application du programme ici proposé, les dépenses vont augmenter dans certains secteurs pour assurer la sécurité de tous aujourd'hui et investir dans l'avenir, pour stimuler la croissance et permettre la réalisation du plein potentiel de chacun.

Cela exige de réduire les dépenses ou d'augmenter les recettes pour le prochain quinquennat. Comme il n'est pas souhaitable d'augmenter les recettes publiques, on assurera l'essentiel de l'équilibre par des économies. Voici comment.

---

1. Institué par le Pacte de stabilité et de croissance, le programme de stabilité est le nom du document transmis chaque année au mois d'avril par tous les membres de l'Union européenne à la Commission, qui présente la stratégie et la trajectoire à moyen terme des finances publiques.

A. Des dépenses nouvelles : 17 milliards d'euros

1. Augmenter les dépenses de sécurité

La réaffirmation de l'importance des missions régaliennes de l'État trouvera sa traduction dans un renforcement budgétaire.

	2015	2022
Défense	1,8 %	2 %
Justice	0,4 %	0,7 %
Sécurité	0,9 %	1 %
Total dépenses régaliennes	3,2 % (66 Md€)	3,7 % (86 Md€)

– Rehausser à 2 % du PIB les investissements de défense.

Le niveau passe de 1,89 % à 2 % du PIB, soit en nominal de 39,6 milliards d'euros en 2015 à 47,3 milliards d'euros en 2022. L'augmentation réelle est de 7,7 milliards d'euros mais l'augmentation par rapport au tendanciel est de 2,3 milliards d'euros. Ce montant n'est pas la somme des dépenses supplémentaires en 5 ans, c'est bien 2,3 milliards d'euros de plus par an.

– Sortir la justice de sa précarité actuelle.

La modernisation du système judiciaire et pénitentiaire devra être accompagnée d'une augmentation des effectifs et, surtout, d'investissements massifs, notamment dans les moyens numériques. Les dépenses de justice, qui ne représentent que 8 milliards d'euros aujourd'hui, seront progressivement doublées en 5 ans. On peut échelonner l'augmentation de la dépense de justice en la faisant progresser d'environ 1,5 milliard d'euros supplémentaires chaque année pour atteindre en régime permanent en 2022 une augmentation de 8 milliards d'euros annuels.

– Financer une police proche des citoyens et des menaces.

Les rationalisations successives des forces de sécurité intérieure ont conduit à diminuer le nombre de policiers et de gendarmes effectivement présents sur le terrain. Les forces de sécurité fonctionnent aujourd'hui à l'os. La présence sur le terrain est primordiale. Le programme fait revenir les policiers sur le terrain par la constitution d'une police de proximité dans les zones de sécurité prioritaires, nécessairement consommatrices d'effectifs. Les renseignements généraux doivent eux aussi se trouver de nouveau là où la menace peut s'appréhender : sur le terrain. Une partie de cette présence pourra être assurée par un redéploiement des fonctionnaires assignés à des tâches administratives ; cela ne sera pas suffisant. Une augmentation de 10 % des moyens dédiés à la sécurité intérieure sera nécessaire, faisant passer ces moyens à 1 % du PIB.

Cela représente 18,7 milliards d'euros aujourd'hui et 23,7 milliards d'euros en 2022. L'augmentation nominale est de presque 5 milliards d'euros mais, par rapport au tendanciel, de 2,4 milliards d'euros seulement. L'augmentation de 0,1 % du PIB de la dépense de sécurité intérieure représentera sur l'année 2022 une **augmentation pérenne de moyens annuels** de 2,4 milliards d'euros au service des forces. Cette augmentation sera échelonnée dans le temps au cours du quinquennat.

2. Financer l'avenir

– Miser sur l'éducation et l'enseignement supérieur et la recherche.

Le programme propose de mettre les moyens pour financer ce qui fera l'avenir de la France : sa jeunesse. En particulier dans les premiers stades de la petite enfance, quand tout se joue et que peuvent encore se rattraper les inégalités qui ne feront que se creuser par la suite.

Il faut un encadrement plus resserré pour tous les jeunes écoliers en maternelle dans les zones d'éducation prioritaires.

Les moyens consacrés à la formation, initiale et continue, des enseignants, aujourd'hui à hauteur d'environ 1,3 milliard d'euros par an, devront être doublés, pour permettre d'embrasser les évolutions techniques et pédagogiques nécessaires.

L'effort nécessaire sera permis en partie par un redéploiement des effectifs et une rationalisation des moyens, en particulier numériques. L'augmentation totale du budget pourra ainsi être portée à 3,5 milliards d'euros annuels, soit une hausse de 5 % des moyens de l'Éducation nationale. L'augmentation totale de moyens que l'on propose est de 3,5 milliards d'euros annuels à horizon 2022. On peut raisonner sur une trajectoire d'augmentation linéaire, de 700 millions d'euros annuels.

– Rénover les infrastructures.

Les routes doivent devenir intelligentes, les aéroports être reliés au centre-ville, le réseau électrique favoriser les énergies de demain… Les investissements nécessaires se comptent en dizaines de milliards d'euros, qui seront principalement portés par le privé, *via* les tarifs de l'électricité, autoroutiers, ou ceux d'autres concessions, qui devront s'appuyer sur une tarification juste de leur usage, financée par les utilisateurs en tenant compte des externalités engendrées.

Au total, les domaines prioritaires mentionnés (la défense, la sécurité, l'éducation, les infrastructures et la justice) verront leur budget augmenter, par rapport à la trajectoire de 0,7 % du PIB, ce qui représente environ 17 milliards d'euros de dépenses annuelles supplémentaires en 2022.

Mécaniquement, la mise en œuvre de ces propositions du programme engendrera une hausse de la croissance du PIB à 2 % du PIB, et donc une hausse des recettes fiscales, et la réduction des dépenses de transferts.

B. Des économies à faire en plus pour stabiliser la dette : 28 milliards d'euros

Pour maintenir la dette à un niveau proche de 100 % du PIB, il faut faire en plus un effort pour réduire le déficit à 2 %, ce que les gouvernements successifs n'ont jamais eu le courage de faire. L'effort est, pour cela, de l'ordre de 28 milliards d'euros, soit 1,2 % du PIB par rapport à la situation actuelle.

Au total, si on ajoute les 0,7 % de dépenses prioritaires supplémentaires, on atteint 1,9 % de PIB d'économies à trouver annuellement, soit environ 45 milliards d'euros.

On les trouvera par des économies et non par des recettes nouvelles.

C. Des économies : 45 milliards d'euros

Le président de la République responsabilisera chacun de ses ministres pour qu'ils redéployent leur budget et financent les axes prioritaires de leur politique par des économies structurelles sur leur champ de compétences.

5 milliards d'euros supplémentaires seront trouvés en recherchant avec discipline l'efficacité dans tous les services de l'État. Les gisements sont extrêmement nombreux : maîtrise de la masse salariale de la fonction publique d'État (1 à 2 milliards d'euros), application stricte des 35 heures dans la fonction publique hospitalière (1 milliard d'euros), rationalisation des parcs immobiliers (1 milliard d'euros). Plus généralement, l'État et l'ensemble des personnes publiques doivent se montrer exemplaires et gérer leur maison en bons pères de famille. L'État doit rechercher l'efficience dans tous les recoins, mais aussi dans ses grosses structures : la proposition de recentrer le réseau diplomatique sur les pays prioritaires, en abandonnant le principe de stricte universalité du réseau, fait partie de ces économies d'efficience de grande ampleur. Il en va de même pour la réduction du nombre de parlementaires que propose le programme (1 milliard d'euros pour l'ensemble des personnes publiques).

Le retour à l'équilibre des systèmes de retraite, avec le passage à 63 ans et 43 années de cotisation, une économie de plus de **10 milliards** d'euros annuels (0,4 point de PIB) à terme.

Stabiliser les dépenses locales à partir de 2017 et même les réduire est possible par la réduction du nombre de communes, la clarification du rôle des régions et la structuration autour des métropoles, qui sont des mesures phares pour dégraisser massivement le millefeuille territorial, supprimer les doublons et dégager des économies d'échelle. Par rapport à la trajectoire actuelle des dépenses locales, l'économie réalisée sera de l'ordre de **20 milliards** d'euros annuels.

La politique du logement pourrait ainsi être rationalisée, en ciblant davantage les aides personnelles au logement des étudiants (**0,5 milliard** d'euros d'économies) et en améliorant la gestion des bailleurs sociaux (**1 milliard** d'euros d'économies).

Des marges de manœuvre sur les prix et les volumes des médicaments sont possibles (**5 milliards** d'euros d'économies), la mise sous condition de ressources des allocations familiales peut être accentuée (**3 milliards** d'euros d'économies), le plafond d'allocation de retour à l'emploi pourrait être abaissé, puisqu'il concerne des actifs qualifiés qui n'ont pas de problèmes pour retrouver un emploi sur le marché du travail (**0,5 milliard** d'euros d'économies).

Au total, 45 milliards : 20 sur les collectivités, 10 sur les retraites, 5 sur le fonctionnement de l'administration, 5 sur l'assurance maladie, 3 sur la famille, 0,5 sur l'assurance chômage, 1,5 sur le logement.

D'autres dépenses seront fiscalement neutres. La suppression de l'ISF sera compensée par une taxe sur les biens immobiliers au-dessus d'une valeur de 500 000 euros. Les allègements des impôts sur le travail seront compensés par une augmentation de deux points de la TVA (15 milliards d'euros) ; l'allègement de l'IS sera compensé par des impositions environnementales (taxe carbone) afin de servir un double dividende : ne pas limiter la productivité et faire diminuer la pollution.

Au total, sous l'hypothèse d'une croissance moyenne de 2 % à horizon 2022, la dette sera stabilisée autour de 102 % du PIB, et le déficit sera ramené à 2 %. Il faudra que les mandats suivants poursuivent l'effort. Ils bénéficieront des dividendes des réformes faites avant 2022.

Remerciements

Sous la direction de Jacques Attali et la coordination de la rapporteure générale Angélique Delorme, un grand merci à tous les citoyens-internautes, qui ont été plusieurs milliers à contribuer sur www.france2022.fr et j@attali.com

Un grand merci aux membres du groupe de travail France 2022, Sara Amini, Jérémie Attali, Agnès Audier, Laurent Bigorgne, Claude Blanchemaison, Pierre de Boissieu, Florence Bonetti, Dominique Bureau, François Camé, Pauline Cazaubon, Josseline de Clausade, Jérôme Clément, Jean-Michel Darrois, Florian Dautil, Jean-Marie Delarue, Charlotte Galland, Jean Guillaume, Nathalie Hanet, Augustin Jaclin, Hervé Le Bras, Mathilde Lemoine, Anne Le More, Erwan Le Noan, Aurélien Lépine-Kouas, Antony Maragnès, Olivier Marchal, Vincent Martigny, Julien Neutres, Mikaël Outmezguine, Alain Quinet, Augustin de Romanet, Robert Sebbag, Jullien Sylvestre, Emmanuel Tuchscherer, Pierre Vimont.

Un grand merci aux étudiants qui ont énormément contribué à France 2022, Benjamin Amalric, Camille Andrieu, Pierre-Yves Anglès, Guillaume Bellinelli, Julia Clavel, Valentin Cohen, Awa De, Léonie Decker, Axel Racowski.

Un grand merci aux personnes consultées, Philippe Aghion, Lotfi Aoulad, Gilles Babinet, Françoise Barbier-Chassaing, Mario Becerra, Bruno Bouygues, Nicolas Bouzou, Antoine

Bozio, Pierre-André Buigues, Gilbert Cette, Nathalie Chaze, Sophie Claudel, Élie Cohen, Antoine Colombani, Jean-Baptiste Crabières, Olivier Curel, Mathieu Debatisse, Fabien Dell, Julien Durand, Frank Escoubès, Olivier Guersent, Guillaume Hannezo, Éric Hazan, Félicité Herzog, Jean-Michel Laborde, Didier Lallement, Grégoire Leclercq, Romain Lemoel, Maurice Lévy, Éric Mamer, Henri Nallet, Bénédicte Peyrol, Frédéric Pie, Jean-Dominique Pit, Romain Regnier, Jimmy Romeyer, Pauline Rouch, Christian Saint-Étienne, Marc Trévidic, Hubert Védrine, Henri Verdier.

Table des matières

*Composition et mise en pages
Nord Compo à Villeneuve-d'Ascq*

Cet ouvrage a été imprimé en France par
CPI
pour le compte des Éditions Fayard
en mars 2016

Fayard s'engage pour
l'environnement en réduisant
l'empreinte carbone de ses livres.
Celle de cet exemplaire est de :
1 kg éq. CO_2
PAPIER À BASE DE   Rendez-vous sur
FIBRES CERTIFIÉES www.fayard-durable.fr

Dépôt légal : mars 2016
N° d'édition : 68-9459-3/01 - N° d'impression : 2021257